Nous remercions le ministère du Patrimoine canadien,
la SODEC et le Conseil des Arts du Canada
de l'aide accordée à notre programme de publication

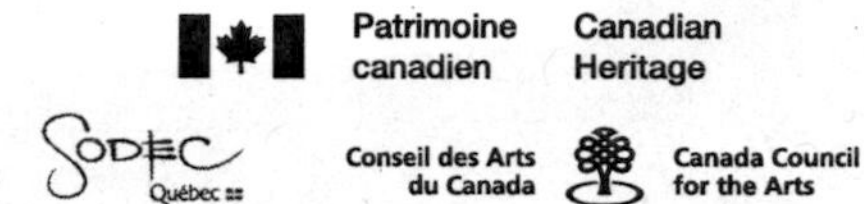

ainsi que le Gouvernement du Québec
– Programme de crédit d'impôt
pour l'édition de livres
– Gestion SODEC.

Nous reconnaissons l'aide financière
du Gouvernement du Canada
par l'entremise du Programme d'aide au développement
de l'industrie de l'édition (PADIÉ) pour ce projet.

Illustration de la couverture:
Gérard Frischeteau

Maquette et montage de la couverture:
Conception Grafikar

Édition électronique:
Infographie DN

Membre de l'Association nationale des éditeurs de livres

Dépôt légal: 1er trimestre 2011
Bibliothèque nationale du Canada
Bibliothèque nationale du Québec

1234567890 IM 987654321

ISBN 978-2-89633-177-2
11399

TOUT POUR UN PODIUM

• Série Biocrimes 4 •

DE LA MÊME AUTEURE
AUX ÉDITIONS PIERRE TISSEYRE

Collection Chacal, série Biocrimes
Le chien du docteur Chenevert, 2003.
Clone à risque, 2004.
Anthrax connection, 2006.

Collection Ethnos
Tempête sur la Caniapiscau, 2006.
Le naufrage d'un héros, 2009.

Collection Sésame
Les saisons d'Émilie, 2004.
Les gros rots de Vincent, 2005.

Chez d'autres éditeurs
L'atlas mystérieux, Soulières, 2004.
L'atlas perdu, Soulières, 2004.
L'atlas détraqué, Soulières, 2005.
L'atlas est de retour, Soulières, 2009.
L'île à la dérive, Soulières, 2008.
La tisserande du ciel, Isatis, 2005.
Mes parents sont gentils, mais tellement maladroits, Foulire, 2007.
Mes parents sont gentils, mais tellement écolos, Foulire, 2009.

Catalogage avant publication de Bibliothèque et Archives du Québec et Bibliothèque et Archives Canada

Bergeron, Diane, 1964-

Tout pour un podium

(Collection Chacal ; 57)
Pour les lecteurs de 12 ans et plus.

ISBN 978-2-89633-177-2

1. Titre II. Collection : Collection Chacal ; 57.

PS8553.E674T68 2011 jC843'.6 C2010-942104-3
PS9553.E674T68 2011

TOUT POUR UN PODIUM

Biocrimes 4

DIANE BERGERON

roman

ÉDITIONS
PIERRE TISSEYRE

155, rue Maurice
Rosemère (Québec) J7A 2S8
Téléphone : 514-335-0777 – Télécopieur : 514-335-6723
Courriel : info@edtisseyre.ca

Les situations et les personnages de ce roman sont fictifs. Toute ressemblance avec des personnes vivantes ou décédées ne serait que pure coïncidence.

« On parle de conduite dopante lorsqu'une personne consomme notamment certains produits, pour affronter un obstacle réel ou ressenti, afin d'améliorer ses performances (compétition sportive, examen, entretien d'embauche, prise de parole en public, situations professionnelles ou sociales difficiles). Dans le monde sportif, cette pratique prend le nom de dopage. Le dopage n'est pas une simple tricherie. »*

(Extrait de « Une conduite dopante, qu'est-ce que c'est ? »

---

*http://www.doctissimo.fr/html/dossiers/drogues/mildt/conduites-dopantes.htm)

À François « coach Frank » Letarte,
pour l'enthousiasme et la passion
avec lesquels il accompagne
nos jeunes athlètes.

Pour ses précieux conseils,
je remercie le professeur Albert Callis
qui œuvre pour la santé
et l'éducation des sportifs.

Le sport, comme l'alcool,
doit être pratiqué avec modération.
À haut niveau, il est
très dangereux pour la santé.

(Yves Bordenave et Serge Simon
dans *Paroles de dopés*,
Éditions JC Lattès, 2000.)

Prologue

La lampe infrarouge éclaire faiblement la salle de bain. Aleksander Vojtech regarde le reflet déformé que lui renvoie le miroir embué. Il est dégoûté par les muscles de son corps nerveux qu'il exposait jadis pour le simple plaisir. Il empoigne la serviette reposant sur le comptoir de marbre et découvre, sans surprise, le pistolet. Il le prend dans sa main, relève le cran de sûreté. Son image, dans la glace, est marquée par une larme qui coule sur sa joue. Un flacon de médicaments roule et tombe sur la céramique avec un bruit agaçant. Il le ramasse, l'ouvre et en sort deux comprimés. Il joue quelques secondes avec eux, ses yeux se posant tour à tour sur le flacon, sur son corps nu et sur le pistolet.

D'un geste rageur, il jette les comprimés dans la cuvette des toilettes et tire la chasse

d'eau. Les pilules tournoient un moment avant de disparaître. Une sensation d'étourdissement s'empare d'Alek qui doit s'asseoir sur le rebord du bain pour ne pas tomber. Il se prend la tête et se met à pleurer, les épaules secouées par des sanglots irrépressibles. Sa vie ne devrait pas ressembler à ça. Ce n'est pas ce à quoi il avait rêvé, ce n'est pas l'exemple qu'il voulait donner à son fils, Jorick, qui avait été si fier de voir son paternel s'envoler pour les Olympiques de Vancouver.

— C'est génial de t'avoir comme père, avait dit le gamin. Grâce à toi, je suis devenu le gars le plus populaire de l'école. On va tous suivre ta compétition de biathlon sur grand écran, dans le gymnase.

Alek avait alors serré son enfant très fort pour cacher son émotion, non pas celle d'un père satisfait de l'image qu'il projette, mais celle d'un homme qui triche, qui ment à ceux qu'il aime le plus, à sa femme, à leur enfant. Il avait perdu son honneur, sa dignité, dans cette partie de cachette. Il est vrai qu'on ne l'avait jamais soupçonné de quoi que ce soit et que son crime n'avait pas été étalé sur la place publique. Pas encore. Mais chaque fois qu'un cas de

dopage était découvert, qu'un athlète était traîné dans la boue médiatique, qu'un sportif passait aux aveux devant la communauté mondiale révoltée, Alek se sentait mourir un peu.

Et pourtant, il avait lutté, du moins au début. Lutté pour conserver sa place au sommet du podium sans entrer dans la ronde infernale des produits illicites. D'ailleurs, l'idée n'était pas venue de lui. Il y avait d'abord eu les commanditaires exigeant de meilleures performances. Puis, l'entraîneur qui surveillait le chrono d'Alek avec férocité, sans oublier le soigneur rapportant les moindres défaillances de son corps surmené. Ceci jusqu'au jour où la question fatidique avait été posée :

— Alek, pendant combien de temps comptes-tu demeurer dans la course ? avait demandé l'entraîneur.

— Aussi longtemps que mon corps me le permettra.

— Eh bien, ton règne s'achève, Alek. Tu entames ta dernière saison.

— C'est impossible ! Je n'ai que vingt-sept ans, avait protesté l'athlète. Et qu'est-ce que je ferai si je ne compétitionne plus ?

J'ai une famille à nourrir, une maison à payer. Je n'ai pas fait d'études, tu le sais, j'ai dû m'entraîner sans répit pour arriver où je suis.

— Si tu le désires vraiment, tu peux rester plus longtemps dans le circuit du biathlon. Tu peux même être meilleur que tu ne l'es présentement.

— Tu sais très bien, Marek, que c'est ce que je veux.

— Dans ce cas, il faut faire encore plus de sacrifices.

— Dis-moi simplement ce qu'il faut que je fasse. J'augmenterai mes heures d'entraînement, je soignerai mon alimentation, je…

— C'est bien, mais ce n'est pas le genre de sacrifices auquel je pense.

Devant l'air intrigué de son poulain, Marek avait sorti une bouteille de comprimés.

— Non, ça jamais ! avait hurlé le sportif à la face de son entraîneur. Je suis propre, moi. Jamais je ne toucherai à ça.

— Alors, tu seras emporté par les nouvelles vagues d'athlètes plus jeunes et plus performants que toi. Le sport, à ton niveau, ce n'est plus un jeu, une façon de faire

honneur à papa, à maman et à fiston. Si tu n'es pas le meilleur, tu perdras ta place. Sans oublier que ceux qui financent ton entraînement ont droit à des résultats.

Aleksander était sorti du bureau de Marek en claquant la porte. Furieux. Misérable. Et il était revenu. Trois ans déjà. Trois années durant lesquelles il avait avalé la pilule sans réfléchir, se soumettant aux expérimentations de son médecin et de son entraîneur. Sans réfléchir parce qu'il étouffait sa conscience, cette voix qui lui disait qu'il risquait tout pour un podium. Sa femme, son fils, sa dignité.

La crainte constante d'être pris lui tordait le ventre. Aujourd'hui, cette peur semblait incontrôlable.

Ses yeux se fixent de nouveau sur l'arme, puis sur son visage pitoyable dans la glace.

Le visage d'un tricheur.

Chapitre 1

Damné chien !

— Daf-nez, ici !

…

— Daf-nez, au pied !

…

— Daf-nez ! s'impatiente Annie. J'ai dit : « Viens ici ! » Regarde les autres, ils sont tous au pied de leur maître… Pourquoi ne fais-tu pas la même chose ? Daf-nez, c'est la dernière fois que je te le demande : viens ici !

La chienne, un labrador brun, avait été baptisée Daf-nez peu après sa naissance à cause de la longueur exceptionnelle de son museau et de l'habitude qu'elle avait de sentir tout ce qui l'entourait en faisant ce petit bruit comique : *daf-daf-daf !* Une fois

socialisée[1] et après avoir terminé son entraînement de chien policier, elle avait été admise au Service d'apprentissage des chiens détecteurs, où elle déployait tout son savoir-faire.

Ignorant l'ordre d'Annie, Daf-nez passe au milieu des autres duos en reniflant l'air avec circonspection, sous les regards exaspérés des maîtres-chiens.

— Josiane, comment puis-je espérer travailler avec cette chienne si elle ne peut répondre à un simple commandement ? Elle est stupide, ou quoi ?

Dans le hangar encombré de caisses et de boîtes de toutes dimensions, sept chiens sont assis à côté de leur maître, des policiers en tenue de ville. Un malaise flotte dans la pièce. Tous sont habitués au tempérament fougueux d'Annie et à ses commentaires parfois corrosifs au sujet du labrador brun qu'on lui a assigné. Mais cette fois-ci, Annie semble véritablement bouillir. Daf-nez, pour une raison inconnue, s'est assise face à une autre policière, Nathalie, dont elle flaire le pantalon. Puis, alors que sa maîtresse

1. Dès leur sevrage et jusqu'à l'âge de dix-huit mois environ, les futurs chiens policiers sont confiés à des familles d'accueil. Ainsi, les chiens apprennent à vivre en compagnie d'humains.

persiste à l'appeler vainement, Daf-nez pose une patte sur le genou de la jeune femme.

La bête gémit. Nathalie est figée par la surprise. Puis une grimace de douleur déforme un bref instant son visage. Furieuse, Annie empoigne le collier de Daf-nez et la ramène sans ménagement à sa place en disant :

— Oh ! Je suis désolée, Nathalie. Est-ce qu'elle t'a griffée ?

— Non, ne t'inquiète pas, c'est juste une vieille blessure.

Josiane, la formatrice du Service d'apprentissage des chiens détecteurs, fait signe à Annie d'approcher. Celle-ci s'exécute après avoir jeté un regard désespéré au tableau d'affichage sur lequel le décompte est inscrit. Plus que douze jours avant l'examen et le départ pour Vancouver.

— Annie, ta chienne est très intelligente. Elle a été sélectionnée parmi une centaine de candidats pour devenir un chien détecteur. Elle a les qualités requises pour faire ce job. Et, jusqu'à maintenant, son entraînement n'a causé de problème à personne.

— Sauf à moi, maugrée la policière, les poings serrés. Elle ne m'écoute jamais. Tu l'as vue, elle m'a presque renversée. On dirait qu'elle le fait exprès.

— Tu prends ça trop à cœur, Annie. Tu es stressée et Daf-nez le sent. N'oublie pas que tu as affaire à un jeune chien en formation, pas à un collègue de travail…

Des rires fusent dans la salle. Annie lance un regard meurtrier aux autres.

— Daf-nez n'a rien à voir avec ce nombre affiché au mur qui te préoccupe tant, poursuit Josiane. Amène-la chez toi en fin de semaine, apprenez à vous connaître. Je suis persuadée que lundi, vous ferez le plus beau couple maître-chien en ville !

— Ça me surprendrait… De toute façon, j'ai d'autres projets pour la fin de semaine.

— Non, Annie, celui-ci devient ta priorité. Tu veux aller à Vancouver ? Ton visa, c'est Daf-nez. Et si je peux te donner un conseil, discutes-en avec Steve. Ça n'a pas toujours été facile avec Donut…

— Donut, pas facile ? s'étonne Annie. On ne parle certainement pas du même chien.

Avec un sourire en coin, Josiane renvoie Annie dans les rangs et libère ses élèves.

— Lundi prochain, mise en situation à l'aéroport Pierre-Elliot-Trudeau de Montréal. On se rejoint au hangar 9 d'Air Canada à 10 h 30. La délégation olympique polonaise y fera escale et elle a accepté de se prêter à une petite expérience avec vos chiens.

Des murmures d'excitation s'élèvent parmi les policiers. Annie, indifférente à l'enthousiasme des autres binômes[2], soupire en regardant le labrador couché à quelques centimètres d'elle.

— Et n'oubliez pas d'étudier vos notes sur le protocole d'intervention en présence d'explosifs. Après l'exercice, il ne restera que neuf jours avant l'examen…

Les agents offrent une dernière caresse à leur chien avant de le confier aux employés du chenil. Annie fronce les sourcils en considérant Daf-ncz. La bête lui retourne un regard vide, un peu de biais.

— Décidément, je ne t'aime pas, toi. Allez ! Grouille ! Tu vas apprendre à me

2. Binôme : équipe composée d'un maître et d'un chien.

connaître ce week-end, je t'en donne ma parole...

Daf-nez est couchée dans un coin de la cuisine, sur une couverture. La tête appuyée sur ses pattes antérieures, elle suit Annie des yeux. Lorsque celle-ci s'approche, la bête détourne le regard. La jeune femme essuie la vaisselle du souper et la dépose brusquement sur la table de la cuisine. Soudain, elle échappe un verre qui se brise en miettes sur le carrelage. Daf-nez pousse un aboiement surpris. Après avoir commandé au chien de se taire, Annie, exaspérée, court s'enfermer dans sa chambre.

À ce moment, Steve rentre du travail. Interdit, il aperçoit le labrador, seul dans la cuisine. *Que fait-il ici ? Pourquoi n'est-il pas au chenil ?* Puis le jeune homme découvre les débris sur le plancher, prend le balai et ramasse les morceaux de verre avant de rejoindre Annie. Une fois dans la chambre, il s'approche de sa compagne, qui fait les cent pas, et la maintient un moment immobile.

— Qu'est-ce qui ne va pas, Annie ? Tu es tellement tendue, je ne t'ai jamais vue dans cet état.

— C'est cette maudite chienne. J'ai le pire cabot de l'histoire des chiens détecteurs. Jamais je ne partirai à Vancouver avec les équipes chargées de prévenir le terrorisme aux Olympiques…

— Voyons, reprend patiemment Steve, il est forcément possible de dresser cette bête. Daf-nez n'aurait pas été acceptée dans le programme si elle n'avait pas les qualités d'un chien détecteur.

— Ah ! Vous êtes bien tous pareils. Josiane tient le même discours. À vous entendre, il n'y a que moi qui ai des ennuis avec Daf-nez.

— Ne te choque pas, ma lionne, j'essaie seulement d'aider, dit Steve en enlaçant tendrement son amie. Un chien, c'est comme un enfant. Il faut l'élever.

Annie soupire. La semaine a été difficile, tout comme les trois précédentes. En plus de son travail quotidien d'enquêteuse à la Criminelle de Sherbrooke, elle a passé plusieurs heures par jour à se familiariser avec Daf-nez et le métier de maître-chien

détecteur d'armes et d'explosifs. À voir Steve fonctionner parfaitement avec Donut, elle avait cru que ce serait facile et agréable d'en faire autant. Mais Daf-nez n'était pas Donut. La jeune femme aimait autant le berger allemand de son conjoint qu'elle pouvait détester le labrador qu'on lui avait confié. Annie, qui avait toujours eu un don pour communiquer avec les gens, perdait tous ses moyens face à sa chienne au point d'en avoir presque peur.

La chaleur réconfortante des bras de son amoureux finit par calmer la policière. Annie approche ses lèvres de celles de Steve, sollicitant un baiser. Ce dernier se laisse désirer et joue avec une mèche de cheveux de la jeune femme. Un bruit de vaisselle brisée vient soudain interrompre le moment d'intimité du couple. Sentant Annie se raidir, Steve éclate de rire.

— Oups ! Notre « enfant » nous réclame, ma belle.

Les deux policiers découvrent la cuisine dans un état lamentable. La poubelle a été vidée sur le carrelage et les assiettes du souper sont en mille morceaux. Daf-nez, la nappe encore dans la gueule, regarde

ailleurs, comme si elle cherchait qui avait pu faire le coup.

— Merci, Daf-nez ! s'exclame Steve en essayant de garder son sérieux. On a enfin une excuse pour remplacer cette affreuse porcelaine ! La seule chose que je regrette, c'est qu'Annie ait perdu son temps à la laver.

— Très drôle, grince cette dernière en arrachant la nappe des crocs de la bête. C'était la vaisselle de ma tante Marielle. Mais tu comprends maintenant ce que je veux dire : ce chien, c'est la onzième plaie d'Égypte. Je savais que c'était cinglé de l'amener à la maison, mais Josiane a insisté.

— Non, Annie. Daf-nez a juste besoin d'un peu d'attention et de surveillance. On lui a laissé un peu trop de liberté, ce soir, et elle en a profité. J'ai une cage dans le débarras, en bas. Je vais aller la chercher.

— Une cage ?

— Donut était exactement comme Daf-nez, au début.

— Donut ? Je te défends de l'insulter en le comparant à Daf-nez.

— Si tu savais le nombre de gaffes qu'il a commises lorsque je l'avais à la maison... N'imagine pas que les chiens qu'on nous

confie sont de petits robots recouverts de poils. Ce sont des animaux et il faut les accepter comme tels. Avec le temps, ils deviennent plus sages. Installe-la plus loin le temps de tout ramasser. Ça lui évitera de se couper sur le verre.

Avec des gestes brusques, Annie attache la laisse de sa chienne à la poignée de porte de l'entrée. La policière s'agenouille en face de l'animal et lui empoigne la tête. Daf-nez résiste un peu, l'air frondeur. Un instant, la jeune femme voit passer un éclair rouge dans les yeux de la bête.

— Je jurerais que tu as le regard d'un démon, toi. Peu importe ce qu'en disent Josiane et Steve, même si tu es belle et intelligente, tu ne travailleras pas avec moi.

L'entraîneur de l'équipe polonaise de biathlon discute à voix basse avec le médecin de l'organisation. Ses yeux se posent nerveusement sur les athlètes et les journalistes qui attendent le début de la conférence de presse, deux jours avant le départ de la délégation pour le Canada.

— Tu es sûr que tout est prêt, Klemens ?

— Oui, Marek, mais calme-toi, je t'en prie, les gens nous regardent.

— Je me demande bien qui a eu cette idée stupide de nous soumettre à l'inspection des douanes canadiennes.

— On doit montrer patte blanche devant les autorités du pays d'accueil. Refuser cette inspection aurait été suspect. Rassure-toi, ces chiens sont dressés pour détecter les armes et les explosifs, pas les drogues. Je me suis renseigné.

— Et s'ils nous fouillent quand même ? S'ils mettent la main sur le produit ?

— Pour autant que je sache, l'acétaminophène[3] ne fait pas partie de la liste des substances interdites. Or, à première vue, rien ne permet de différencier notre produit des analgésiques courants. Alors, relaxe !

— Relaxe... Facile à dire. Le programme de soins devait être terminé deux semaines avant les Jeux...

— Le H5 est une formule améliorée. On ne pouvait pas savoir que l'usine allait tarder

3. Acétaminophène (aussi connu sous le nom commercial de Tylenol) ou paracétamol.

à le distribuer. On aura les meilleurs athlètes de toute l'Europe de l'Est, Marek, je te le promets. Et personne n'échouera aux contrôles antidopage.

— Je mets ma carrière et celles de mes athlètes entre tes mains, Klemens. Ne t'avise pas de tout faire foirer.

— Ne t'en fais pas, j'ai bien trop à perdre, moi aussi…

Chapitre 2

Tel maître, tel chien

— Donut, au pied, ordonne tranquillement Steve.

Le berger allemand, la queue battante, avance vers Steve et s'assoit devant lui, la tête bien droite, les yeux éperdus d'adoration pour son maître. De la buée sort de sa gueule qui semble afficher un sourire de contentement. Le parc est désert en ce samedi matin et la neige brille sous le ciel glacial de janvier.

— À toi maintenant, Annie.

— Mais regarde-la, Steve, cette bête le vénère littéralement. Jamais je ne réussirai à avoir un tel contact avec Daf-nez.

— Pourquoi Donut agit-il ainsi, selon toi ?

— Je ne sais pas… Parce que c'est une bête extraordinaire ? Parce que TU es extra-ordinaire ?

— La bonne réponse est : parce que je l'aime. Tout simplement. Et parce que je le lui montre souvent.

Annie secoue la tête de dépit. Elle avait bien essayé, au début, de caresser Daf-nez et de lui donner des récompenses comme le lui avait montré la formatrice. Mais Daf-nez n'avait pas réagi comme les autres chiens. Elle semblait toujours se préoccuper d'autres choses que des ordres de sa maîtresse. Très vite, Annie s'était découragée.

— Daf-nez, au pied, lance-t-elle d'un ton agressif.

Daf-nez détourne la tête et fait mine de s'intéresser aux oiseaux qui volettent entre les branches des arbres dénudés du parc André-Viger. Même Donut lâche un jappement sourd de réprobation.

— Daf-nez !

L'animal ne bouge toujours pas. Annie se tourne vers Steve, les poings serrés et fermement appuyés sur ses hanches.

— Daf-nez, au pied ! reprend Steve d'un ton plus doux.

Aussitôt, le labrador se place à côté du jeune homme et incline la tête vers lui, attendant un nouvel ordre. Dans les yeux de la chienne, Annie distingue une lueur affectueuse. La policière sent une pointe de jalousie la piquer.

— Tu vois ? Tu vois ? C'est ce que je te disais : jamais elle ne m'écoutera. Nous sommes incompatibles.

Steve sourit et son regard s'illumine.

— Je pense, au contraire, que vous vous ressemblez beaucoup, toi et elle. Deux êtres indépendants qui ne veulent pas être dominés. Je me rappelle une Annie très têtue que j'ai dû apprivoiser et qui m'en a fait voir de toutes les couleurs…

Annie se renfrogne à ce souvenir. Vrai, elle avait bien changé depuis le jour où elle avait connu Steve, dans le laboratoire du docteur Chenevert[4]. Elle avait parfois de la difficulté à croire qu'elle avait pu alors se lancer, sans réfléchir aux conséquences, dans un piège bêtement tendu par le savant fou. Puis il y avait eu l'épisode de la secte où, encore une fois, elle s'était laissé berner

4. Voir *Le chien du docteur Chenevert*, Biocrimes 1, de la même auteure dans la même collection.

par François Larivière, un être manipulateur et sans scrupules[5]. Elle n'était pas fière de ce passé. Cependant, elle se consolait en pensant que, bien que menées de façon téméraire, les enquêtes auxquelles elle avait été mêlée s'étaient toutes soldées par l'arrestation des truands... ou par leur mort. Ainsi, Chenevert ne trancherait plus jamais de têtes pour construire ses chimères mi-homme, mi-chien, et le gourou de la secte AVE ne tenterait plus de cloner des humains, sacrifiant, pour arriver à ses fins, quantité de vies. Ces épreuves avaient, somme toute, permis à la jeune femme d'apprendre à se connaître et à jauger ses propres limites. Au terme de ses mésaventures, elle avait compris que, pour elle, la vie méritait d'être vécue intensément. Pas de demi-mesures. Pas de remords de n'être point intervenue. Puis, l'épisode de l'anthrax[6] lui avait révélé qu'elle n'était pas seule à vivre avec passion son métier de policier. Steve, même s'il agissait la plupart du temps avec prudence

---

5. Voir *Clone à risque*, Biocrimes 2, de la même auteure dans la même collection.

6. Voir *Anthrax connexion*, Biocrimes 3, de la même auteure dans la même collection.

et réflexion, avait aussi son petit côté givré et imprévisible.

— Allons, poursuit ce dernier, en sentant Annie égarée dans ses pensées, rien n'est perdu avec Daf-nez. Je peux te faire partager mon expérience auprès de Donut, si tu le désires. D'abord, n'utilise pas le nom de ton chien comme un commandement. Appelle ta chienne pour attirer son attention, puis demande-lui quelque chose. Ensuite, le ton est très important. Un chien n'a pas un grand vocabulaire, il ne comprend que quelques mots, surtout lorsqu'il est jeune, mais il peut donner un sens à tes intonations. Et ce labrador y paraît très sensible. Essaie.

— Daf-nez… Viens ! dit Annie d'une voix incertaine.

Le labrador continue d'examiner le sol comme si de rien n'était.

— Daf-nez… Viens, mon chien, reprend-elle plus chaleureusement.

Le chien relève la tête et fixe Annie quelques secondes, mais ne bouge toujours pas. De nombreux essais plus tard, et après l'intervention de Donut qui d'un claquement de mâchoires capte l'attention de la chienne, Daf-nez accepte enfin de s'approcher d'Annie.

— Récompense-la même si elle a été longue à réagir. Mieux vaut tard que jamais.

La jeune femme se penche et caresse l'animal, sans grand enthousiasme. Dafnez détourne le regard, ce qui achève d'empourprer le visage de la policière.

— Ah ! Pourquoi tu ne m'aimes pas, toi ? J'imagine que tu dois te poser la même question, dans ta petite tête de chien. Je vais te dire ce que personne ne t'a probablement jamais dit : je ne t'aime pas parce que tu n'agis pas comme un chien. Un chien doit être le meilleur ami de l'homme. Obéissant, fidèle, prêt à tout pour sauver son maître. Tous les chiens sont comme ça. Alors, pourquoi pas toi ? On ne pourra jamais faire équipe si on ne s'entend pas mieux. Peut-être que je devrais tout laisser tomber. Oublier Vancouver et les Olympiques. Pourquoi mettrais-je mon avenir entre les pattes d'un chien ? J'abandonne, Daf-nez. Je vais te reporter au chenil lundi et tu feras ce que tu voudras de ta vie, mais sans moi !

— Oh ! Annie ! s'exclame Steve. Ne le prends pas comme ça.

— Tu devrais peut-être faire équipe avec elle, Steve, rétorque la jeune femme. Elle

t'obéit, au moins. Tous les chiens t'obéissent, un vrai docteur Dolittle !

— Tu sais bien que je n'aurai pas de chien à Vancouver. Tu sais aussi que je ne suis pas à l'aise avec la mission qu'ils m'ont confiée.

Exaspérée, Annie se rue dans le sentier enneigé, sans même prendre la peine de mettre Daf-nez en laisse. Steve, découragé, se penche pour caresser Donut.

— Tu sais, mon chien, c'est peut-être mieux ainsi. Toi et moi, on n'est rien l'un sans l'autre. Mais ces deux-là sont vraiment trop rebelles et indépendantes…

Un jappement alarmé retentit aux oreilles du jeune homme et de son chien. Daf-nez court et aboie en direction d'Annie au bout du sentier. Perdue dans ses pensées, la jeune femme avance sans se soucier de la circulation. Or, une voiture arrive à toute allure au coin de la rue, glisse sur une plaque de glace et s'engage dans une descente sans parvenir à ralentir son élan. Occupée à dévaler un talus de neige, Annie ne voit pas l'automobile déraper silencieusement vers elle. Au même instant, Daf-nez

rejoint la jeune femme et s'élance sur elle de tout son poids. Annie est projetée au sol. Elle tombe en poussant un cri de surprise. Le véhicule percute le banc de neige, à l'endroit même où se tenait la femme une fraction de seconde auparavant. La policière se relève vivement. D'un coup d'œil, elle remarque le chauffeur inconscient dans son automobile et le labrador couché au sol, telle une tache sombre sur la neige blanche.

— NOOON ! Daf-nez !

Annie se rend compte que sa chienne vient de la sauver. Toutes les paroles dures qu'elle a prononcées quelques minutes plus tôt refluent à sa mémoire. « Le meilleur ami de l'homme... doit donner sa vie pour son maître... » Exactement ce que Daf-nez vient de faire. Les larmes aux yeux, Annie s'agenouille auprès du chien agité de tremblements. Elle enlève son manteau et en recouvre l'animal. Puis elle prend le museau de Daf-nez entre ses mains et murmure :

— Non, Daf-nez, ce n'est pas le moment de partir. Attends un peu, je n'ai pas encore eu le temps de te connaître...

— Est-ce que ça va, Annie ? demande Steve arrivant sur les lieux, hors d'haleine.

L'inquiétude déforme ses traits. Il aide Annie à se relever et la prend doucement dans ses bras.

— Tu n'as rien, tu es sûre ? As-tu mal ? Tu devrais peut-être t'asseoir ?

Annie fait signe que non.

— L'auto ne m'a pas touchée... grâce à Daf-nez. Steve, je n'aurais jamais cru qu'elle l'aurait fait pour moi... et elle va mourir...

Steve se penche sur Daf-ncz et la palpe précautionneusement. Il prend le manteau d'Annie et le remplace par le sien. Il tend le parka à son amie et la réconforte :

— Tiens, remets-le. Je ne sens pas de cassure. Ellc est jeune, elle va sûrement s'en sortir. Reste avec elle, je vais m'occuper du chauffeur. Ensuite, on la ramènera au chenil où des vétérinaircs pourront l'examiner.

Grâce à Steve, le conducteur parvient à sortir de son véhicule. C'est un vieil homme nerveux qui se confond en excuses. Annie le rassure :

— Je n'ai rien. Heureusement, mon chien était là.

Un mystérieux sourire se dessine sur les lèvres de Steve. Annie le questionne du regard.

— C'est que… tu as dit « mon chien ». Ce n'est pas la première fois que tu utilises ces mots, mais c'est la première fois que… tu y crois.

Chapitre 3

Une tache de ketchup?

Lundi matin, les aspirants maîtres-chiens attendent à la porte du hangar 9 d'Air Canada. Certains discutent de leur fin de semaine, d'autres prennent un café en silence. On sent cependant une certaine fébrilité dans l'air. C'est le premier entraînement en conditions réelles. Aujourd'hui, les chiens et leurs maîtres seront en contact avec une véritable clientèle.

Annie surveille avec anxiété les voitures qui arrivent de la route principale. Bientôt, elle repère la camionnette du Service d'apprentissage des chiens détecteurs. Elle n'a pas eu de nouvelles de Daf-nez depuis la veille et elle ne sait pas si la chienne participera ou non à l'exercice. Puis, au fond d'elle-même, Annie appréhende le

retour de Daf-nez, leur prochain contact. La jeune femme a mal dormi durant la fin de semaine, rêvant sans cesse de l'accident, inversant parfois les rôles. Elle se voyait alors sauvant Daf-nez et passant sous les roues du véhicule hors contrôle. Et toujours cette question lui était revenue en tête : aurait-elle vraiment plongé pour le labrador brun ?

La camionnette se gare en face des policiers et la porte coulissante glisse sur son rail. Les chiens sortent un à un et vont retrouver leur maître avec plaisir. Bientôt, tous les binômes sont formés, sauf celui d'Annie. La déception peut se lire sur le visage de la policière. Elle avance vers le véhicule lorsqu'en émerge Josiane.

— Bonjour, Annie ! Viens ici, Daf-nez !

Le chien sort de l'ombre en claudiquant légèrement.

— Elle est encore raide, mais ça devrait aller. Vas-y doucement avec elle ce matin, O.K., Annie ?

Le jeune femme comprend que l'avertissement ne concerne pas seulement la santé de la chienne. Daf-nez descend lentement de la camionnette et s'assoit sur le trottoir.

Annie inspire pour chasser la crainte qui la taraude.

— Daf-nez... Viens, viens, ma belle !

Le ton joyeux et chaleureux avec lequel Annie appelle son chien surprend et toutes les conversations s'interrompent. Même Daf-nez semble étonnée. La queue battante, elle se dirige vers la jeune femme qui se penche et la caresse avec ravissement. Annie enfouit sa figure dans les poils drus du labrador et lui chuchote à l'oreille :

— Tu m'as vraiment manqué, ma belle. J'ai eu peur que tu ne sois pas là ce matin...

Le chien s'écarte, puis commence à lécher le visage de la policière avec application. Les maîtres-chiens éclatent de rire.

— Bon, poursuit Josiane avec un soupir de soulagement à peine masqué, maintenant que nous avons tous retrouvé nos équipiers, au travail ! D'abord, nous ferons l'inspection des bagages, puis nous rejoindrons les membres de la délégation polonaise dans une salle fermée du terminal des voyageurs. Soyez professionnels, cet exercice sera noté et s'ajoute à votre examen de passage.

Un murmure de mécontentement s'élève parmi les policiers. L'un d'eux demande :

— Et si un de nos chiens trouve quelque chose ?

— Vous connaissez la procédure. Suivez-la rigoureusement. Mais je doute qu'un athlète soit assez stupide pour transporter des armes ou du matériel terroriste sachant qu'il doit passer à la fouille.

Les policiers, avec leur chien en laisse, se dirigent vers le convoyeur de bagages. Les valises et les équipements sportifs de l'équipe polonaise ont été détournés vers un secteur tranquille du hangar de tri. Les chiens commencent à renifler les valises sous la direction de leurs maîtres qui montrent systématiquement les bagages à sentir.

Comme les autres chiens présents, Dafnez se lance dans le travail avec plaisir. Sa truffe effleure à peine les malles et les sacs, mais Annie sait que l'odorat de sa chienne est plusieurs millions de fois supérieur à celui de l'humain.

Comme l'avait prédit la formatrice, les chiens ne détectent rien. La déception peut se lire sur le visage de plusieurs policiers. Josiane les rappelle vertement à l'ordre :

— Non, mais on croirait voir des enfants. Vous n'avez pas pu faire joujou ? Vous n'avez pas trouvé d'armes ? Ce n'est pas parce qu'on vous met entre les mains des chiens détecteurs que vous devez espérer faire bingo à la première occasion. Réjouissez-vous que vos chiens n'aient rien flairé. Le contraire signifierait que des terroristes s'apprêtent à commettre un crime. Pas de quoi jubiler ! Vos chiens ont très bien fait leur travail, mais on ne peut pas dire la même chose de certains d'entre vous. Je ne veux avoir aucun commentaire là-haut quand nous rencontrerons la délégation polonaise.

Pendant que les maîtres-chiens, la tête basse, se dirigent vers le terminal des passagers, Josiane s'approche d'Annie.

— Je vois que vous vous entendez mieux, toi et Daf-nez. On m'a raconté ce qui s'est passé, samedi. Je dois dire que ce genre de comportement me surprend un peu. Ce n'est pas habituel, surtout lorsque le courant ne passe pas entre le maître et le chien…

— Oui, je sais que je lui dois beaucoup, avoue Annie, penaude. Je n'aurais jamais cru… qu'elle m'aimait autant. Je pense que

notre relation sera bien plus agréable, maintenant.

— Oh ! Elle t'en fera voir de toutes les couleurs durant un bon bout de temps. Daf-nez est encore jeune, mais si tu as vraiment de l'affection pour elle, tu seras capable de gérer ses caprices. Et ne la gâte pas trop, c'est un chien de travail avant tout !

— J'essaierai de m'en souvenir, Josiane.

Lorsque les policiers se présentent dans la salle d'attente réservée à la délégation polonaise, un lourd silence s'installe. L'atmosphère est empreinte de nervosité, d'agacement et d'agressivité. Pour dissiper le malaise, un représentant des douanes canadiennes s'adresse aux membres de la délégation. Son discours est aussitôt répété par la traductrice :

— Bonjour et bienvenue au Canada. Nous vous remercions d'avoir accepté de bonne foi de participer à cet exercice pour nos chiens détecteurs en formation. Le Canada a pris tous les moyens en son pouvoir pour garantir la sécurité des athlètes des Jeux et contrôler la menace terroriste. Nous vous demandons de rester assis à vos places quand les chiens passeront dans les

allées. Et ne vous inquiétez pas si nos chiens découvrent quelque chose, un de nos agents porte sur lui une faible quantité d'un nouvel explosif particulièrement difficile à détecter.

Les agents se partagent les rangées de bancs et avancent vers les membres de la délégation polonaise. Au signal de leur maître, les chiens se mettent à l'ouvrage, reniflant les bagages de cabine et les athlètes. Tous réussissent à identifier l'agent porteur du contrôle positif. Josiane sourit, satisfaite par les performances de ses élèves. Un peu plus loin, un homme avance la main pour caresser un berger allemand. Le chien recule aussitôt.

— Ne le touchez pas! s'exclame le maître-chien Desjardins. Il est au travail.

— Excusez. Moi aimer chien. Avoir comme… euh… pareil, balbutie l'athlète en reprenant sa place.

D'un mouvement presque imperceptible, le policier invite Annie à inspecter la rangée voisine. Annie baisse les yeux pour montrer qu'elle a compris. Elle dirige les recherches de son chien vers le dernier banc de sa rangée actuelle. Un athlète bâti comme un taureau s'y trouve. L'homme toise Annie

avec hostilité, comme pour la dissuader d'approcher. Mais Annie soutient son regard, peu impressionnée. Elle n'ignore pas que l'arrogance cache souvent la peur. Cependant, Daf-nez passe près de l'homme sans lui manifester d'intérêt. *Zut !* pense la policière en s'éloignant. *Je l'aurais bien fouillé, celui-là ! Juste pour lui faire ravaler son air supérieur.*

Annie se dirige ensuite vers la rangée que le maître-chien Desjardins lui a demandé de vérifier. Daf-nez inspecte d'abord le sac de l'homme qui, il y a un moment, avait voulu caresser un des chiens. Cette fois, le voyageur garde ses mains pour lui. Daf-nez s'éloigne un peu puis, comme si elle avait changé d'idée, revient sur ses pas. Elle se met alors à flairer l'athlète, se lève sur ses pattes et lui donne de petits coups de museau à la hauteur de la poitrine. La chienne pousse même un gémissement presque timide avant de s'asseoir devant le Polonais qui blêmit. Ce dernier, affolé, regarde dans la direction du médecin de l'équipe. Personne ne dit mot. Tout le monde observe le chien, l'athlète et Annie. *Pas possible*, songe la jeune femme dont les

veines se chargent soudainement d'adrénaline. *Pas à moi... Bon, Jobin, c'est le temps de faire tes preuves. Rappelle-toi le protocole!*

— Comment vous appelez-vous? demande alors Annie.

— Aleksander Vojtech. Vous... faire... erreur. Rien pris. C'est ketchup. Je échapper... sur moi. Votre chien... aimer ketchup? tente de plaisanter l'étranger en roulant des yeux désespérés.

— Monsieur Vojtech, prenez votre sac de voyage et suivez-moi.

— Moi... arrêté?

— Non, nous allons seulement procéder à quelques vérifications d'usage.

Elle jette un coup d'œil à Josiane qui lui ouvre la porte du local réservé aux fouilles. Annie demande l'assistance de Desjardins et de son berger allemand, de l'interprète et du représentant des douanes.

Le responsable de l'équipe polonaise se précipite pour barrer le passage à tout ce beau monde.

— Qu'allez-vous faire? Nous prenons l'avion dans une demi-heure, je ne peux

laisser sur place un de mes athlètes. Ce n'est qu'un exercice, après tout...

— Ne vous inquiétez pas. Il s'agit d'une formalité. Si votre gars n'a rien à se reprocher, ce sera vite réglé...

Josiane entre en dernier et ferme la porte derrière elle. Annie fait asseoir l'homme dans un coin de la salle et donne l'ordre à Daf-nez d'inspecter le sac de voyage, ce que la chienne fait sans manifester la moindre réaction. Jordan, le chien de Desjardins, contrôle à son tour le bagage sans rien y déceler. Puis Annie s'approche d'Aleksander dont le front est perlé de sueur. La policière a presque pitié de cet athlète qui, bien qu'âgé de trente ans d'après son passeport, a l'air d'un homme ayant vieilli prématurément, probablement miné par de longues années d'entraînement et d'angoisse. Daf-nez renifle l'homme en suivant les directives d'Annie, sans rien détecter. Toutefois, après un moment d'arrêt, la chienne revient à la charge, s'attardant de nouveau à la hauteur de la poitrine du Polonais. L'animal gémit, puis s'assoit, le regard fixe, indiquant clairement son verdict. Le cœur battant, Annie se retire

avec Daf-nez, laissant la place au binôme Desjardins-Jordan qui, pour sa part, ne détecte rien. Josiane décide donc de faire entrer un troisième binôme qui réagit de la même façon. Le sac de voyage est alors vidé sur une grande table et toutes ses coutures sont inspectées. On demande finalement à l'athlète de retirer ses vêtements derrière un paravent. Ceux-ci sont d'abord examinés par les agents qui remarquent une tache rouge récemment nettoyée sur la chemise. Ensuite, les habits sont flairés par les chiens, mais aucun d'entre eux ne manifeste de réaction, même pas Daf-nez. On en conclut que la chienne a fait erreur, dû à son manque d'expérience ou peut-être à cause du choc occasionné par l'accident. Les policiers se confondent en excuses pendant que le Polonais se rhabille, visiblement soulagé.

Quand Annie sort de la salle en traînant Daf-nez, tous les regards convergent vers elle. La jeune femme croise celui, méprisant, du sportif aux muscles bovins. Daf-nez vient de couvrir sa maîtresse de honte. Plus encore, elle a ridiculisé toute l'équipe de maîtres-chiens…

Josiane rejoint Annie alors qu'elle quitte le terminal des passagers.

— Je ne comprends pas…

— C'est pourtant évident, Josiane, et je vois déjà les gros titres dans les journaux de demain : « L'équipe de maîtres-chiens québécoise rate son examen de dépistage. Les terroristes songent maintenant à utiliser du ketchup pour camoufler l'odeur de leurs bombes ! »

— Non, ce que je ne comprends pas, c'est la réaction atypique de Daf-nez, poursuit Josiane. Lorsque les chiens détectent un produit, ce n'est pas le comportement qu'ils ont… Ça me dépasse.

— Elle n'est pas remise de ses blessures, c'était une erreur de l'utiliser dans des conditions réelles, suggère Annie en rendant la laisse entre les mains du préposé du chenil. Mais si tu veux mon avis, Josiane, je crois qu'elle ne sera jamais prête pour aller à Vancouver…

— Neuf jours, Annie. Neuf jours, ça peut changer bien des choses…

— Et ça peut ne rien changer du tout, grommelle Annie en s'engouffrant dans sa voiture.

Chapitre 4

Chien contre abeilles

— Steve, je ne sais plus quoi penser, se désole Annie, les yeux rivés sur le fond de son verre de bière. Ce matin, quand j'ai vu Daf-nez s'avancer vers moi après l'avoir appelée, mon cœur a fait un bond. Je me disais que je l'avais jugée trop durement, que j'attendais trop d'elle et que, finalement, si ça ne fonctionnait pas entre nous deux, c'était uniquement ma faute. Mais après ce qui s'est passé à l'aéroport, la honte dans laquelle elle m'a plongée avec toute l'équipe, je pense qu'elle n'a pas sa place dans ce métier… Et qu'il en va probablement de même pour moi.

Steve soupire. Donut et lui s'étaient vite apprivoisés, car le jeune homme avait toujours estimé le chien pour ce qu'il était

vraiment, c'est-à-dire un animal. Une bête intelligente, certes, mais qui ne pouvait remplacer l'être humain, seulement le compléter. Tout comme on ne demande pas à un enfant de se conduire en adulte, on n'exige pas d'un chien qu'il parle ou qu'il réfléchisse. On ne lui impute pas des sentiments ou des intentions complexes. Steve l'avait tout de suite compris. D'ailleurs, pour le jeune homme qui avait toujours eu de la difficulté à communiquer avec ses semblables, l'arrivée du chien et leur complicité toujours grandissante avaient été une bénédiction. Les choses étaient plus compliquées entre Annie et sa chienne. Annie était si différente de Steve qu'il se demandait parfois comment ils avaient pu devenir des amoureux et surtout… le rester. Malgré les ans qui avaient passé, la jeune femme demeurait un mystère pour son conjoint.

— Tu me donnes la permission de parler franchement ? se risque Steve.

— Euh… Bien sûr ! réplique aussitôt Annie avec un regard interrogateur. Il me semble qu'on s'est toujours dit les vraies choses.

— Qu'en pense Josiane ?

Annie hausse les épaules, songeant que Steve ne changera pas et qu'il se croira à jamais obligé d'offrir une solution raisonnable là où une oreille attentive et un peu de compréhension auraient suffi. Elle répond tout de même :

— Elle dit qu'en neuf jours, tout peut se transformer.

— Alors, fie-toi à ta formatrice. Elle dresse des chiens depuis dix ans, elle sait de quoi elle parle. Il te reste neuf jours pour donner tout ce que tu as et pour réussir tes examens. Sois un bon maître, considère Daf-nez comme une chienne exceptionnelle, et le sort en sera jeté. Si jamais tu doutes de la fidélité de Daf-nez, n'oublie pas qu'elle t'a déjà sauvé la vie. Tu lui en dois une…

Annie dévisage Steve, les yeux ronds. Puis elle éclate de rire. Le jeune homme se renfrogne. Qu'a-t-il dit de si drôle ? Si son amie est incapable de comprendre l'évidence, Daf-nez est aussi bien de se trouver un autre maître, et le plus vite possible. Le temps de reprendre contenance, Annie parvient à articuler :

— Allez ! Ne fais pas cette tête, Steve. Je ne me moque pas de toi, mais te rends-tu compte que, depuis qu'on se connaît, tu n'as jamais enchaîné autant de mots ?

Si elle savait le nombre de phrases qui jamais ne franchissent le bord de mes lèvres, pense Steve, exaspéré, *elle ne rirait pas de celles qui parviennent à sortir…*

Son éternelle bête noire, la communication.

— Je sais que ce travail éventuel à Vancouver t'inquiète, Annie. C'est vrai que c'est séduisant comme projet et que tous tes collègues t'envient déjà. Même moi. Ce serait une expérience formidable d'être aux premiers rangs pour assurer la sécurité lors de cet événement. Mais ce n'est qu'un travail et j'ose espérer, pour toi… et aussi pour ta partenaire, Daf-nez, que tu n'as pas fait tout cet entraînement juste pour aller aux Jeux olympiques…

— Bien sûr que non, Steve, tu me connais mieux que ça…

— Ou pour que je n'y aille pas seul ?

— Quoi ? Est-ce que tu insinues que je voudrais te surveiller ? s'indigne Annie.

— Tu sais, les jolies athlètes suédoises, je risque d'être tenté...

— Mais tu te paies ma gueule, Steve Garneau !

— Bien sûr, Annie, c'est trop facile ! Déstresse un peu...

— C'est vite fait pour toi de ne pas être stressé. Tu as ton billet d'avion et la certitude de partir, peu importe ce qui arrive. Et ton job ne t'oblige pas à des résultats. Alors que de mon côté... Si ma chienne, trop occupée à chercher des traces de ketchup, passe à côté de produits explosifs et qu'on subit une attaque terroriste comme en 1972, à Munich[7], c'est moi qu'on blâmera. Et je suis trop jeune pour vivre avec des remords jusqu'à la fin de mes jours. Alors, ne viens pas me parler de stress, tu es très mal placé pour savoir ce que c'est !

Le silence s'installe. Steve est conscient qu'Annie n'est pas vraiment fâchée, auquel cas elle serait partie en claquant la porte. Reste qu'il aimerait avancer le temps pour se retrouver aux Jeux et que cet interminable

7. Aux Jeux olympiques de Munich, en 1972, des terroristes palestiniens ont pris en otage et tué onze athlètes de la délégation israélienne.

entraînement soit chose du passé. S'il avait su, jamais il n'aurait montré à Annie cette annonce pour le recrutement de maîtres-chiens.

Pourtant, lui-même avait postulé, avec Donut, mais les responsables avaient jugé que former un chien pisteur à détecter de nouvelles substances était risqué et trop coûteux. Steve avait plaidé que Donut en était capable, mais on lui avait rappelé que le berger allemand achevait sa carrière. Un an ou deux et le fidèle chien serait mis à la retraite. Il était donc inutile de le soumettre à un nouvel entraînement. Pauvre Donut ! Pour Annie, le problème était différent. Les compétences de sa chienne n'étaient pas vraiment en cause. Le hic était plutôt l'insécurité de la jeune femme qui ne pouvait supporter de ne pas être en plein contrôle de la situation.

— Encore plus si c'est la faute d'un simple chien, murmure le jeune homme pour lui-même.

La sonnerie de son portable le tire de ses réflexions. Michel St-Onge, un de ses collègues inspecteurs, est à l'autre bout du fil :

— Salut, Steve, le chef a laissé plusieurs messages dans ta boîte vocale.

— Ah zut ! s'exclame le policier. J'ai oublié qu'il voulait me voir.

— Il pensait que tu étais déjà parti pour Vancouver. C'est bon, je l'ai dépanné. Tu m'en devras une, Garneau, à ton retour. En passant, as-tu lu la dernière nouvelle sur Internet ?

— Michel, pourquoi me poses-tu cette question ? Tu sais bien qu'Internet et moi, c'est comme le jour et la nuit.

— Eh bien, tu devrais commencer à vivre un peu plus de nuit, mais en fait, je devrais peut-être en parler directement à Annie. C'est son voyage qui risque d'être compromis.

— Tu sais, répond Steve observant Annie à la dérobée, elle est suffisamment à cran sans recevoir de mauvaises nouvelles. Explique-toi, je lui en parlerai.

— L'article dit que la division de la sécurité du comité olympique étudie en ce moment la possibilité d'utiliser des abeilles pour remplacer les chiens détecteurs.

— Voyons, Michel, des abeilles, c'est une légende urbaine. Ça fait des années

qu'ils en parlent, mais ça n'a jamais rien donné. On aura toujours besoin des chiens pour lutter contre le terrorisme. Et particulièrement aux Jeux olympiques, où la majorité des nations, amies ou ennemies, sont présentes.

— Écoute plutôt: ils appellent ça le programme d'« insectes détecteurs furtifs ». La compagnie Inscentinel[8] se spécialise dans le domaine. J'ai trouvé ceci sur leur site Internet: « Nos abeilles sont entraînées à associer une odeur donnée avec une récompense alimentaire. Une fois apprise, l'odeur déclenche un réflexe d'extension de leur longue langue articulée. Le détecteur que nous fabriquons contient une ou plusieurs cassettes remplies d'abeilles conditionnées et immobilisées. Vue de l'extérieur, c'est une simple boîte. Toutefois, à l'intérieur, un miniventilateur fournit un échantillon d'air aux insectes détecteurs. Une caméra vidéo permet de visionner la réaction des abeilles et un logiciel analyse l'image en temps réel. Si les abeilles tirent la langue, l'alerte est déclenchée. »

8. Informations tirées du site http://www.inscentinel.com.

— Ça ne tient pas la route, Michel. Tout le monde sait qu'une abeille ne vit pas plus de six semaines. Alors, imagine l'entraînement…

— Justement. Écoute la suite: «L'entraînement des insectes est extrêmement simple et rapide, une abeille est formée en quelques minutes. Elle est alors capable de reconnaître n'importe quelle odeur en concentrations infinitésimales. Des abeilles ont été, par exemple, entraînées à reconnaître toutes sortes d'explosifs comme le TNT, le DNT, le Semtex, le PE4… ou n'importe quelle autre matière utilisée par les terroristes.

«La détection n'est pas le fait d'une seule abeille, mais d'un groupe d'abeilles, une population statistique. Le prototype actuel ne contient que trois abeilles, mais en comptera bientôt plus pour permettre la détection de différentes substances simultanément dans le même échantillon d'air.

«Le système est très peu onéreux et peut être déployé n'importe où en utilisant les abeilles locales. Elles peuvent être entraînées vingt-quatre heures sur vingt-quatre, été comme hiver. Elles peuvent être amenées à

détecter très rapidement de nouveaux composés, ce qui est un net avantage par rapport aux chiens renifleurs. Ceci sans oublier que les insectes ne sont pas maltraités et rejoignent leur colonie à la fin de leur carrière d'abeilles renifleuses. »

— Ils voient grand, poursuit Michel avec enthousiasme. Détection de drogues, diagnostics médicaux par analyse de l'haleine ou des urines, contrôle de qualité de produits alimentaires ou industriels, diagnostics environnementaux…

— Michel, les chiens ont fait leurs preuves. Et un chien qui montre les dents, ça impose le respect. On ne peut pas en dire autant d'un coffret relié à un ordinateur, même s'il fait *bzzz*! Non, moi je continue à croire que ce n'est qu'une histoire pour les fanatiques d'Internet.

Mais l'agent ne l'écoute pas et continue sa lecture. Il conclut finalement :

— Eh, Steve, écoute comme c'est adorable : « À l'image de nos amis à quatre pattes, l'abeille pourrait bien devenir la meilleure amie de l'homme. »

— Je vois le topo, Michel, mais crois-tu sincèrement que le comité olympique

va envoyer nos chiens à la retraite avec si peu d'expertise ?

— On le saura bientôt. En attendant, la compagnie Inscentinel affirme être en mesure de déployer ses abeilles d'ici trois jours.

— Ouais… Rappelle-moi si tu as du nouveau, Michel.

— Laisse-moi deviner, lance Annie lorsque Steve raccroche. Les athlètes canadiens ne seront pas les seuls à avoir des compétiteurs sérieux. Nos chiens aussi ?

Steve offre un sourire penaud à Annie. La jeune femme lui sourit en retour et lève son verre :

— Aux Olympiques !

⇘

— Klemens, c'est Marek. Peux-tu parler librement ?

— Oui, je suis seul. Qu'est-ce qui se passe ?

— J'aimerais bien que tu me le dises. Qu'est-ce que ce foutu chien a senti ? Tu m'avais juré que c'était indétectable.

— Il n'a rien senti, justement. *C'est* indétectable.

— Rien ? Si ce chien n'avait rien senti, notre athlète n'aurait pas eu à subir une fouille à nu. Heureusement que les produits n'étaient pas dans son sac.

— Les produits ne voyagent jamais avec l'équipe, tu le sais. Ils arriveront par la filière chinoise et on les recevra à temps pour la compétition. Les performances de nos athlètes seront imbattables et nous remporterons des médailles. Après toutes ces années d'humiliation, on va enfin pouvoir se battre à armes égales avec les autres nations.

— Tu m'avais dit que c'était meilleur que l'EPO[9]… Au prix que ça coûte, je m'attends à des résultats…

— L'EPO est détectable, maintenant. Même celle produite par génie génétique. Le H5 ne l'est pas encore. Personne ne songe même à chercher de ce côté… Ne t'inquiète pas, tes athlètes seront prêts.

9. L'érythropoïétine (EPO) est une hormone dont l'utilisation favorise une augmentation du nombre de globules rouges dans le sang et, par extension, une meilleure oxygénation des cellules musculaires. L'administration d'érythropoïétine peut entraîner l'hypertension artérielle et la formation de caillots.

— Et si un de nos gars se fait prendre ?

— On fera comme d'habitude, on niera tout et il sera crucifié seul. Tout a été pensé. Je suis un professionnel, Marek, laisse-moi faire mon job.

— J'espère que tu sais ce que tu fais, parce que je te préviens : si je coule, tu coules avec moi.

— Ouais, ouais… Entraîne tes gars, je m'occupe du reste.

Chapitre 5

Six binômes

Annie soupire de satisfaction en lisant la dernière question. Finalement, l'examen théorique s'avère plus facile qu'elle ne l'aurait cru. Avant d'attaquer la question à développement, elle prend quelques secondes pour observer les autres candidats de son groupe. Elle constate qu'elle a de l'avance. *Tant mieux*, pense-t-elle en songeant aux propos tenus par Josiane plus tôt en matinée. Celle-ci avait alors expliqué à ses élèves que la répartition des budgets accordés à la sécurité des Jeux olympiques avait été modifiée à la dernière minute. En effet, des abeilles furtives seraient utilisées en complément des chiens. Aussi, seuls six des sept binômes initialement prévus recevraient leur visa pour Vancouver. *Chose*

certaine, je ne serai pas recalée à l'examen théorique. Je possède ma matière mieux que tous les autres policiers réunis. Le reste, ça appartient à Daf-nez, se dit Annie en aiguisant son crayon.

⮱

Steve se tient devant l'entrée de l'AMA, l'Agence mondiale antidopage, dont les bureaux se trouvent à la tour de la Bourse, place Victoria. Comme toujours, il ressent un pincement au niveau de l'estomac en franchissant le détecteur de métal et les contrôles de sécurité. Il y a exactement trois mois de cela, par une matinée pluvieuse de novembre, le président de l'agence, Sean McDowell, l'avait contacté pour un entretien. Le jeune homme avait d'abord cru à une farce de son collègue Michel. Puis, il s'était présenté au rendez-vous et était resté bouche bée devant l'offre qu'on lui faisait. Ils étaient quatre candidats présélectionnés… pour les quatre postes. Tous d'origines différentes : Katiana, une jeune femme russe, Kamal, un Indien au profil

athlétique, Jiao, une Chinoise qui s'exprimait toujours avec le sourire, et lui-même. Tous parlaient au moins deux langues et pouvaient facilement passer inaperçus dans une foule. Tous étaient enquêteurs dans leurs différents corps de police. Lorsque Steve avait demandé comment son nom avait abouti à l'AMA, McDowell avait simplement répondu :

— Plutôt convaincant, ce Roger Tourignon[10]. Il paraît que vous l'avez impressionné. Nous n'avons pas eu besoin d'autres références.

Ah ! Ce cher Tourignon, avait pensé Steve. *Il n'a jamais réussi à me persuader de rejoindre son unité spéciale antiterroriste, et voilà qu'il s'arrange pour me mêler à cette curieuse mission.*

— Le seul problème, avait continué le directeur, c'est votre petite amie, Annie Jobin. Je vois ici qu'elle est enquêteuse à la Criminelle de Sherbrooke, tout comme vous. Or, nos informateurs affirment qu'elle a posé sa candidature pour être maître de

10. Voir *Anthrax connexion*, Biocrimes 3, de la même auteure dans la même collection.

chien détecteur d'armes et d'explosifs. Vous risquez donc de vous croiser sur les sites olympiques…

— Elle doit au préalable être sélectionnée et réussir sa formation et ses examens. Mais je ne vois pas où est le risque, nous avons l'habitude de travailler en équipe.

— Justement, pour ce travail, vous devrez faire cavalier seul.

Steve s'était alors rappelé l'épisode de l'anthrax où il avait dû œuvrer en solo, sans en parler à Annie. Cela avait presque viré à la catastrophe…

— Dans ce cas, je ne suis pas le candidat idéal. Je pense que Tourignon m'a vanté avec trop d'enthousiasme. Le travail que vous me proposez implique d'entrer en communication avec des gens. La communication est ma bête noire, un véritable handicap pour moi. À part Annie, mon partenaire principal depuis huit ans est un chien. Cela vous montre mon degré d'entregent.

— C'est votre dernier mot ?

— À trente-deux ans, on ne change pas sa nature profonde.

Steve avait alors cru que sa relation avec l'AMA se terminerait là. Toutefois, deux

jours plus tard, un courrier était venu lui livrer deux enveloppes à domicile. La première contenait une simple lettre marquée « Confidentiel » :

Montréal, le 4 novembre 2009

Cher Steve,

J'espère que ces dernières quarante-huit heures vous auront permis de réfléchir à l'importance que ce travail revêt pour l'ensemble des nations ainsi que pour l'avenir du sport. Si vous avez été sélectionné, ce n'est pas faute de candidats. Votre nom est sorti en tête de liste. Prenez cela comme un défi personnel à relever.

Concernant votre amie, si vous l'acceptez, vous pourrez lui parler de votre mission. Mais elle sera, elle aussi, soumise au secret. Cependant, à partir du moment où vous serez sur les sites olympiques, vous devrez faire particulièrement attention de ne pas entrer en lien avec elle plus qu'avec une autre personne, car cela pourrait éveiller les soupçons. En espérant que vous accepterez notre offre. Les vrais athlètes se joignent à moi pour solliciter votre aide.

SMD

L'autre enveloppe, volumineuse, contenait des fiches de renseignements de l'AMA sur l'ensemble des produits illicites utilisés en dopage sportif. Steve s'était aussitôt plongé dans la lecture, d'abord avec une certaine réticence, puis avec fébrilité. Il n'en était ressorti qu'au bruit de la clé dans la serrure de la porte. Annie était alors entrée dans l'appartement, au comble de l'excitation :

— Salut, Steve ! Tu ne devineras jamais : j'ai été choisie pour compléter l'entraînement de maître-chien. C'est génial ! Je vais avoir mon propre chien, mon petit Donut à moi ! Je commence la formation la semaine prochaine. Il paraît que mon chien s'appelle Daf-nez, une femelle labrador. Drôle de nom, tu ne trouves pas ?

— C'est fantastique, Annie ! Je suis sûr que tu t'entendras à merveille avec Daf-nez. Euh… Ça te dérangerait si j'allais à Vancouver, moi aussi ? avait demandé le policier, les yeux étrangement brillants…

Le lendemain, Steve et Annie avaient signé une entente de confidentialité avec l'Agence antidopage. À partir de ce moment, Steve avait étudié tous les soirs des monta-

gnes de documents, avait appris à reconnaître les différents athlètes canadiens, américains, français et britanniques, et s'était familiarisé avec le jargon médical et sportif.

Aujourd'hui, à quelques heures de son départ pour Vancouver, il allait participer à un dernier breffage[11] avec les autres membres de l'équipe, c'est-à-dire avec les autres agents d'infiltration, les taupes de l'AMA…

Partie à six heures du matin de Sherbrooke, Annie avait d'abord cru que sa voiture ne démarrerait jamais. Dans son énervement, elle avait oublié de brancher le chauffe-moteur. Le jour J était arrivé, le jour de l'examen pratique. Plus que soixante-douze heures avant le départ des maîtres-chiens pour les Jeux, à condition de réussir l'examen, bien sûr.

Dans une des salles du Service d'apprentissage des chiens détecteurs, les binômes attendent avec impatience et une certaine inquiétude d'être appelés pour leur épreuve

11. Réunion d'information d'un groupe de travail.

finale. Les notes de l'examen théorique sont déjà affichées au babillard. Tous les candidats ont réussi, Annie en tête.

— L'examen pratique comporte quatre épreuves, commence Josiane. La recherche en hangar fermé, le dépistage avec éléments perturbateurs, le dépistage dans un lieu public et la détection avec agression. Vous n'avez pas droit à l'erreur. La vie de beaucoup de citoyens repose sur la qualité de votre travail. Conséquemment, vous devez réussir les quatre épreuves pour obtenir le titre de maître-chien et seuls les six meilleurs candidats iront à Vancouver. Bon succès à vous tous.

Les sept agents enfilent leur tenue de travail, soit l'uniforme d'agent de police comportant la veste pare-balles et le ceinturon auquel est accroché, entre autres, un pistolet électrique. Au tirage, Annie a reçu le numéro 7, le dernier. Elle tente de se calmer en caressant Daf-nez, mais elle sursaute chaque fois qu'un assistant vient chercher un binôme. À la fin, il ne reste plus qu'elle et Nathalie. Pendant que les deux policières discutent, Daf-nez tourne autour de Nathalie et de Cognac, son

chien, tout en jetant de fréquents coups d'œil à Annie.

— Daf-nez... au pied, dit Annie, en tentant de contrôler le ton de sa voix.

Le labrador brun s'arrête un moment, regarde sa maîtresse, mais va résolument s'asseoir devant Nathalie.

— Voilà qu'elle recommence, soupire Annie. Je ne sais pas ce que tu lui fais comme effet, mais elle semble t'apprécier.

Daf-nez persiste à humer l'air autour de Nathalie et pousse un gémissement plaintif avant de se coucher devant la policière. Nathalie frissonne.

— Daf-nez, au pied, mon chien ! commande Annie.

Puis se tournant vers Nathalie :

— Tu es sûre que ça va, toi ? Je te trouve un peu blême.

— Oh ! Ce n'est rien. Je n'ai pas bien dormi ces derniers temps. À cause de l'examen, j'imagine...

Lorsque Nathalie est appelée, Annie remarque ses yeux cernés et ses épaules affaissées. Daf-nez observe le binôme jusqu'à ce qu'il disparaisse derrière la porte.

Alors la chienne accepte enfin de s'asseoir près d'Annie.

— Daf-nez, ma belle, on fait équipe ensemble, d'accord ? On doit leur montrer qu'on a réussi, malgré tout, à former le meilleur duo maître-chien. Je compte sur toi et sur ton super pif !

C'est enfin le tour d'Annie. Elle vérifie machinalement la présence de son pistolet électrique, de sa matraque et de ses menottes. Comme si elle avait tout compris, Daf-nez se lève et s'étire. Une lueur vive s'allume dans son regard. Le binôme est prêt à l'action.

La première épreuve consiste à détecter le plus d'éléments possible dans un entrepôt fermé. Chaque fois que Daf-nez s'assoit devant une malle ou un bagage, Annie en inspecte le contenu avec minutie. Elle y trouve invariablement des armes à feu, des explosifs, des détonateurs et parfois même des Glocks, ces pistolets en plastique indétectables aux rayons X. Daf-nez reçoit bien des caresses en récompense.

Derrière la vitre sans tain, Josiane observe le binôme en s'étonnant de cette complicité inattendue entre Annie et son

chien. Au moment où le labrador brun détecte une bombe artisanale particulièrement bien camouflée dans un conteneur en acier, le chien va jusqu'à diriger la fouille afin d'empêcher Annie de déclencher le mécanisme du détonateur. Note parfaite pour le binôme.

La deuxième salle se différencie de la première par la présence d'objets ou d'odeurs destinés à perturber le travail du chien. Un sandwich au jambon traîne sur une table basse et un appétissant os à moelle a été déposé bien en évidence au milieu de la pièce. On a même imprégné des contenants de carton d'urine d'animaux sauvages. D'abord intriguée, Daf-nez se reprend rapidement et entame ses fouilles sur l'ordre de sa maîtresse.

Quelques minutes plus tard, une forte odeur d'ammoniac envahit l'air ambiant. Annie se met à tousser et des larmes brûlantes lui montent aux yeux. Daf-nez éternue à deux reprises et lance un regard inquiet à la jeune femme. Celle-ci doit prendre une décision cruciale. Il reste à inspecter un pan de mur contre lequel sont empilées des boîtes. Une bombe ou des

armes pourraient s'y cacher. Mais si Daf-nez demeure trop longtemps dans cette pièce, son délicat système olfactif risque de se dérégler à jamais. Après un instant d'incertitude, Annie commande à son chien de terminer le travail. Heureusement, car le binôme découvre dans les dernières boîtes suffisamment de matériel pour faire exploser un immeuble entier.

En sortant de la pièce, Annie et Daf-nez inspirent avec délice l'air frais de l'extérieur. La jeune femme se penche vers le labrador, lui prend la tête à deux mains et applique un baiser sur son museau en disant :

— Désolée, ma belle, il fallait le faire jusqu'au bout. Mais tu as été géniale. Je fais équipe avec toi n'importe quand !

Un bol d'eau a été déposé dans un coin. Même si Daf-nez est visiblement assoiffée, Annie se méfie. La jeune femme sait que toute nourriture autre que celle préparée par le maître-chien pour son animal peut avoir été intentionnellement empoisonnée… Annie prend donc la gourde qu'elle porte à son ceinturon et verse un peu d'eau dans le creux de sa main. Daf-nez lape le liquide avec avidité, puis mordille la main d'Annie

en poussant de petits jappements de plaisir. Un sourire se dessine sur les lèvres de la policière. Jamais elle ne s'est sentie aussi bien en présence du chien. Cette nouvelle communion est précisément celle qu'elle enviait à Steve et Donut. Ragaillardie, elle ouvre la porte menant à l'épreuve suivante.

Chapitre 6

Question de confiance

À l'Agence mondiale antidopage, le dernier breffage avant le départ pour Vancouver vient tout juste de commencer. Les quatre délégués spéciaux sont assis dans de confortables fauteuils, en face de trois hommes. Ces trois personnes ont agi, durant les derniers mois, à titre de conseillers. La salle, dans laquelle les délégués ont reçu la majeure partie de leur formation, est également particulière. Sise dans un deuxième sous-sol, on y accède par un dédale de corridors fermés par des portes à serrures encodées. Aucun microphone, aucune caméra, on se croirait dans un local ultra-secret du FBI.

Lors de la toute première rencontre de l'équipe, la jeune Chinoise, un peu intimidée,

avait mis en doute la nécessité de tant de précautions.

— L'existence de ce projet ne doit pas venir aux oreilles des médias. Votre mission risquerait d'être mal interprétée et l'AMA perdrait sa crédibilité. Nous serions accusés de violation de la vie privée et d'autres trucs du genre. Or, votre tâche n'est pas de savoir qui est fidèle ou non à son conjoint. Nous vous demandons de vous fondre au milieu sportif, de vous mêler aux athlètes, entraîneurs et soigneurs afin de connaître les usages que certains athlètes font de produits illicites et de techniques dopantes. Ces informations nous permettront de mieux orienter nos recherches pour coincer les tricheurs. En ce moment, nous avons toujours deux ans de retard par rapport à l'apparition des nouveaux produits. Bien sûr, comme nous conservons les échantillons d'urine et de sang durant cinq ans, nous pouvons suspendre un athlète jusqu'à huit ans après l'offense. Cependant, si nous pouvions sanctionner l'acte au moment de son exécution, ou peu de temps après, la portée de la condamnation serait beaucoup plus grande. Notre intervention aurait un effet plus dissuasif.

— Pourquoi pensez-vous que les athlètes se confieront à nous ? avait alors demandé la déléguée russe.

— Ceux qui ne se dopent pas, et ils sont, espérons-le, plus nombreux que nous le croyons, parleront facilement si vous prenez la peine de bien diriger la conversation. Ils sont exaspérés d'être comparés à des compétiteurs dopés. Ils tiennent à ce que cette tricherie cesse. Ces sportifs « propres » vous mettront probablement sur de bonnes pistes.

Durant les trois mois de formation qui avaient suivi cette réunion, Steve et les autres délégués avaient rencontré des scientifiques, des médecins sportifs, des psychologues du sport, des entraîneurs et d'anciens athlètes. Ils avaient étudié l'historique du dopage et le jargon du milieu sportif.

À l'aube des Jeux, la figure et le *pedigree* de chaque athlète étaient inscrits dans leur mémoire. Ils étaient prêts.

Prêt ? Steve n'en était pas si sûr malgré ses valises bien bouclées pour son départ imminent. Sa mission allait l'obliger à entrer en lien avec des inconnus. Il serait alors confronté à une difficulté de taille : la communication. Pour s'y préparer, il avait eu

droit à des mises en situation où il avait plutôt bien réagi. Mais malgré tous les trucs qu'on lui avait donnés, Steve l'introverti était toujours d'avis que cette mission n'était pas faite pour lui.

⮯

La salle pour les troisième et quatrième épreuves des maîtres-chiens est remplie de pseudo-voyageurs attendant en file que leurs bagages à main passent le contrôle radioscopique. La foule est dense et bruyante. Ici, des enfants se chamaillent pour un ballon, là-bas des parents rappellent à l'ordre leurs rejetons et, dans un coin, un adolescent écoute de la musique. Des valises et des sacs sont empilés partout, comme si chacun partait pour un mois de vacances et les haut-parleurs annoncent continuellement l'embarquement de différents vols. Annie sourit. *Voilà bien une scène typique d'une zone de transit aéroportuaire.*

Un homme assez corpulent, vêtu d'un long paletot beige, s'empare soudain du ballon et l'envoie rouler devant Daf-nez. Les enfants se bousculent pour récupérer

leur jouet. L'un d'eux, une petite fille, s'arrête pile devant le chien et tend la main pour le caresser. Son frère se tient un peu en retrait et a plutôt l'air intéressé par le pistolet et les menottes qu'Annie porte à son ceinturon.

— Attention, dit la policière, ce chien travaille. Tu ne dois pas le toucher.

— Je n'ai pas peur. Regarde, il m'aime bien, il bouge la queue. Bonjour, Chien-chien, mon nom, c'est Ariane.

— Ce n'est pas une question de peur, précise Annie. On a du travail et tu empêches mon chien de se concentrer.

— Qu'est-ce que c'est, ton travail ?

— Écoute, Ariane, lorsque j'aurai terminé, je te dirai le nom de mon chien et te permettrai de le cajoler quelques minutes. C'est d'accord ?

— Promis ?

— Oui, c'est promis. Maintenant, retourne à ta place avec ton frère.

Durant cette courte conversation, Annie a pris soin de ne pas perdre de vue l'homme au paletot beige. Celui-ci, les mains enfoncées dans les poches, se promène à travers les bagages et les passagers en jetant des

coups d'œil furtifs à Annie et à son chien. La jeune femme lui trouve un air louche.

Libérée des enfants, Annie indique à Daf-nez les valises et autres sacs à inspecter. Rien. La policière commence à douter de l'odorat de son chien. *Et si l'ammoniac avait détruit son super pif ?* s'inquiète-t-elle. Chassant cette idée, la policière décide d'effectuer un deuxième passage en s'attardant un peu plus aux voyageurs cette fois. En arrivant près de l'homme suspect, la chienne s'assoit, le regard fixé sur les mains que celui-ci dissimule dans ses poches. Les muscles d'Annie se contractent, elle recule légèrement, cherchant instinctivement son arme près de sa taille. Elle n'y rencontre que le pistolet électrique… Sa respiration s'accélère.

— Veuillez me montrer vos mains, monsieur, afin que mon chien puisse faire son travail.

Au lieu de s'exécuter, l'homme roule des yeux effarés et sort un couteau à cran d'arrêt dont il libère la lame. Il menace Annie, puis Daf-nez. La chienne s'avance, retrousse les babines et commence à grogner, les poils dressés sur l'échine.

Spontanément, Annie repousse son chien, dégaine son pistolet électrique et tire…

Un flash de lumière, puis le bruit d'une explosion qui résonne un long moment dans les haut-parleurs.

Les passagers prennent un air désolé en regardant Annie qui se rend compte qu'elle vient de tuer la majeure partie des personnes présentes dans la pièce. L'homme au paletot beige se relève et dévoile la bombe qu'il cachait sous son manteau.

Abasourdie, Annie fixe Daf-nez qu'elle a envoyée au sol en pensant la protéger.

— Je ne comprends pas…, murmure-t-elle.

Josiane entre dans la salle, aussi déçue qu'Annie.

— C'était un kamikaze. Ton pistolet à impulsion électrique a fait déclencher la bombe. Il aurait fallu…

— … que je laisse Daf-nez attaquer, continue Annie, et que j'immobilise l'homme au sol.

— Ta chienne a été entraînée pour ça, lui rappelle Josiane. Il faut que tu lui fasses confiance.

— Je ne voulais pas que Daf-nez soit blessée, avoue Annie.

— Je comprends, mais ta réaction émotive a provoqué la mort d'une vingtaine de personnes, toi et ton chien compris. Il faut savoir choisir, Annie. Daf-nez est un instrument de travail. Tu dois la protéger, mais pas au prix de vies humaines… Je suis navrée.

— Est-ce que les autres ont réussi le test ?

— Oui, répond la formatrice après un moment d'hésitation.

Annie considère un instant les acteurs qui remballent leurs affaires et la petite Ariane qui s'éloigne avec un regard accusateur. Ses lèvres forment les mots : « Tu m'avais promis… »

— Comme ça, je n'irai pas à Vancouver ?

— Tes notes sont excellentes, Annie. Tu pourras travailler avec Daf-nez dès qu'un poste se libérera aux douanes des aéroports, ou ailleurs, si tu veux. Mais pour Vancouver, tu sais, une attaque terroriste est toujours possible durant les Jeux olympiques et je dois favoriser les binômes qui sauront le mieux réagir. Je n'ai pas le choix…

Assommée par le verdict, Annie confie Daf-nez à l'employé du chenil. Toutefois, avant de sortir, elle se retourne et rappelle le labrador brun qui accourt aussitôt. La figure enfouie dans le pelage de l'animal, la jeune femme laisse libre cours à ses sentiments, un mélange de tension, de fatigue et d'amère déception.

— On a fait notre possible, ma belle. Mais, entre nous, jamais je ne te sacrifierais juste pour aller à Vancouver. Tu m'as déjà sauvé la vie, je t'ai rendu la pareille. On est quittes maintenant.

⇘

Même après les deux heures de route entre Rigaud et Sherbrooke, Annie demeure bouleversée au souvenir de son échec. L'idée d'aller travailler aux douanes d'un aéroport lui paraît soudain dénuée d'intérêt et bien en deçà de ses capacités. Pourquoi donc a-t-elle soumis sa candidature à ce poste de maître-chien ? Était-ce uniquement pour l'opportunité unique de prendre une part active aux Jeux olympiques canadiens ? Ou était-ce parce qu'elle enviait la bonne

entente entre Steve et Donut ? Avait-elle idéalisé cette relation ? Non. Ses débuts avec Daf-nez avaient effectivement été décourageants, mais l'intense complicité qui l'unissait aujourd'hui au labrador valait toutes les difficultés passées. *Le problème est que j'ai besoin d'une bonne dose d'action mêlée de danger pour me sentir bien dans ma peau. La routine me déprime. Peut-être devrais-je déménager dans une ville peuplée de truands, comme les favelas du Brésil ? Ou devrais-je accepter l'offre de Tourignon et me joindre à son unité spéciale antiterroriste ? Si seulement il ne me tapait pas autant sur les nerfs !* Annie abaisse la vitre de sa portière pour inspirer l'air vif et piquant de la nuit. Perdue dans ses pensées, elle manque sa sortie pour l'Autoroute 10. Elle prend la bretelle suivante et s'arrête dans un restaurant pour camionneurs. La jeune femme y commande un café avant d'allumer son portable qui est resté éteint une bonne partie de la journée. Il y a quatre messages dans sa boîte vocale. Tous sont de Steve. Il a essayé en vain de la joindre à plusieurs reprises durant et après l'examen. Annie écoute les deux premiers enregistrements,

de simples « Rappelle-moi à la maison ». Le troisième est plus explicite :

« Salut, ma belle. J'espère que ton évaluation s'est bien déroulée. Je reviens de l'Agence et la date de départ a été devancée. Je dois occuper mon poste dès demain matin. Je sais, c'est un peu tôt, mais je n'y peux rien. Je prends donc l'avion ce soir à vingt heures. Appelle-moi rapidement, j'aimerais qu'on puisse se voir au moins à l'aéroport. »

Annie consulte sa montre : 19 h 30. Zut ! Le quatrième message a été laissé quelques minutes plus tôt :

« Annie, je t'ai attendue aussi longtemps que j'ai pu, mais je dois absolument franchir la zone de contrôle de sécurité. J'aurais aimé te parler avant de partir, connaître le résultat de ton examen, mais bon... Je t'appelle dès que j'arrive à Vancouver. Je t'aime, ma belle. »

Le résultat de son examen... Pfff ! Elle en garde surtout le souvenir du flash de lumière et du bruit de l'explosion dans les haut-parleurs. Sans oublier le regard accusateur de la petite fille... *Au fond, peut-être vaut-il mieux que j'aie échoué... Je ne pourrais*

pas vivre en me sachant responsable de la mort d'autant de personnes.

Annie compose le numéro du cellulaire de Steve, mais elle n'accède qu'à sa boîte vocale. La jeune femme laisse un message même si elle sait que Steve n'y aura pas accès immédiatement, les téléphones portables étant interdits dans l'avion. Elle pousse ensuite un long soupir qui attire l'attention d'un client assis à une table voisine.

— Ça va, mademoiselle ?

Annie fait signe que oui, termine son café et se dirige vers les toilettes. *Je dois avoir une mine affreuse*, pense-t-elle. Tout à coup, elle se sent très seule et donnerait n'importe quoi pour se retrouver dans les bras de Steve. Elle songe, avec un pincement douloureux, que c'est d'une maman qu'elle aurait besoin à cet instant. Le visage de sa mère se superpose alors au sien dans le miroir dépoli et elle remarque, pour la première fois, comme elle lui ressemble. Des larmes voilent cette vision.

— Non, pas de ça, Annie, fais ta grande fille, ce n'est qu'une mauvaise passe.

Elle retourne s'asseoir dans sa voiture, met la radio à tue-tête et reprend la route.

En rentrant dans son appartement, Annie ne peut s'empêcher de ressentir un grand vide causé par l'absence de Steve.

— Autant t'habituer tout de suite, beauté, Steve est parti pour six semaines. Ça te laissera le temps de refaire la décoration, ajoute-t-elle avec une moue. Je sais, la déco, ce n'est pas ton fort !

Le voyant lumineux du répondeur clignote rapidement dans l'obscurité, mais Annie décide de l'ignorer. Elle préfère se plonger dans un bon bain et se remettre de sa déception dans les bulles de savon. Lorsque l'eau effleure le bord de la baignoire, elle s'y glisse avec délice. Le téléphone sonne alors qu'elle vient à peine de s'assoupir. La jeune femme jette un coup d'œil à sa montre. Trop tôt pour que ce soit déjà Steve. Elle laisse le répondeur enregistrer le message en tendant l'oreille. Elle croit reconnaître la voix de Josiane. *Elle doit appeler pour prendre de mes nouvelles,* se dit Annie en sortant de la baignoire. *J'aurais fait la même chose si je venais de recaler quelqu'un aussi bêtement.*

La policière enfile un peignoir de bain en se sermonnant :

— Jobin, cesse de mettre tes erreurs sur le dos des autres. S'il existe quelqu'un qui a tout fait pour t'aider, c'est bien Josiane !

Elle appuie sur la touche de lecture des messages. Les trois premiers sont de Steve. Mis à part le ton un peu plus pressant du jeune homme, ils ressemblent à ceux qu'Annie a déjà entendus sur son cellulaire. Les suivants sont de Josiane :

« Annie, c'est Josiane, rappelle-moi vite, s'il te plaît. »

« Annie, j'espère que tu vas prendre ce message avant demain, rappelle-moi à n'importe quelle heure. »

Le troisième a l'air d'une mauvaise farce tellement il est incroyable :

« Changement de programme, tu fais partie des six binômes qui vont à Vancouver. Nathalie est malade, c'est toi qui la remplaces. Rappelle-moi vite ! »

Annie reçoit la nouvelle comme un coup de poing. Elle doit s'y reprendre à deux fois pour composer le numéro de Josiane.

— Ah ! Annie, dit Josiane d'une voix ensommeillée. J'espère que tu n'avais pas fait de projets pour les prochaines semaines ?

— Euh... Je ne comprends pas, c'est une blague ou quoi ?

— D'une certaine façon, j'aimerais bien. Nathalie est entrée d'urgence en salle d'opération. Les médecins croient qu'elle a contracté la bactérie mangeuse de chair.

— C'est sérieux à ce point ?

— Ils espèrent pouvoir sauver sa jambe. Selon son conjoint, elle a ignoré ses symptômes et attendu trop longtemps pour consulter. Le mal a eu le temps de se répandre jusque dans le genou. Je crois qu'elle voulait à tout prix passer son examen et ne pas montrer de faiblesse.

— Elle semblait fiévreuse, aujourd'hui, renchérit Annie. Pauvre Nathalie. C'est horrible ce qui lui arrive. Pourra-t-elle marcher de nouveau ?

— Attendons qu'elle revienne du bloc avant de forger des scénarios pessimistes. Mais comme la vie continue, ça nous ramène à ton départ. Tu t'envoles demain matin à huit heures. Je sais que le délai est

court, mais avec les Olympiques, on n'a pas le choix : le billet de Nathalie est le seul disponible avant deux semaines.

— Mais enfin, Josiane. Tu veux m'envoyer à Vancouver sachant que j'ai raté la plus importante épreuve de mon examen ? Comment peux-tu penser que je vais faire mieux une fois là-bas ?

— On apprend toujours de ses erreurs. Toi aussi bien que les autres. Tu ne la recommenceras pas, celle-là.

— Comment peux-tu en être sûre ? En conditions réelles, j'aurais tué vingt innocents. C'est loin d'être un jeu vidéo, ce job.

— Je te fais confiance, Annie, et je t'invite à faire de même. Mais… si tu veux, tu peux prendre Cognac.

— Cognac, le chien de Nathalie ? s'exclame Annie, incrédule. Pourquoi Cognac ? C'est Daf-nez mon chien !

Un sourire s'épanouit sur les lèvres de Josiane, un sourire qu'Annie, bien sûr, ne peut voir.

— C'était une suggestion, comme ça. Au cas où tu ferais plus confiance à Cognac…

— Jamais de la vie ! Je pars avec Daf-nez ou je reste ici !

— Parfait, conclut Josiane. Tu auras tes instructions demain matin à l'aéroport. Sois-y à six heures. Et essaie de dormir d'ici là…

— Euh… Merci, Josiane, dit Annie avec effusion. Merci pour ta foi en moi.

En raccrochant, Annie ne peut s'empêcher de hurler sa joie :

— OUI ! OUI ! OUI ! C'est vrai : je vais à Vancouver ! Je vais assister aux Olympiques ! Et ce sera avec mon chien, Daf-nez !

Chapitre 7

Bienvenue à Vancouver !

En sortant de l'avion au terminal de Vancouver, Annie est saisie par l'atmosphère festive qui règne à l'aéroport. De partout, des gens aux mines réjouies lui souhaitent la bienvenue dans la ville des Jeux olympiques. L'un des symboles des Jeux, l'inukshuk, est présent, peu importe où la jeune femme pose le regard. Il ajoute à l'exotisme de l'endroit, déjà remarquable par l' absence totale de neige.

Après avoir pris ses valises sur le carrousel, Annie s'occupe de récupérer Dafnez à la réception des bagages spéciaux. Le voyage en avion pour traverser le pays a duré cinq heures trente, en plus de la correspondance à Toronto et des attentes au sol.

Dès que le préposé sort le labrador brun de sa cage, l'animal s'élance vers Annie. La policière est heureuse de revoir son chien et l'excitation de la veille n'a pas diminué malgré la nuit blanche qu'elle vient de passer. Après avoir permis à Daf-nez de faire ses besoins et lui avoir donné à boire, Annie se dirige vers la zone publique où quelqu'un doit venir la chercher.

Elle est la première venue des six binômes québécois. Les autres arriveront le lendemain et seront postés à Vancouver. Annie devra plutôt travailler à Whistler où se déroule une partie des Jeux d'hiver. La jeune femme est très contente que le hasard l'ait désignée pour travailler à Whistler, car elle adore les montagnes et la neige. Les photos qu'elle a vues de l'endroit l'ont séduite. Annie a d'ailleurs apporté sa planche à neige et se promet d'en faire dès qu'elle aura un moment de libre.

Ayant enfin rejoint le hall principal de la zone publique, elle se rend au carrefour alimentaire. Elle choisit une table bien en vue et y dépose ses bagages. Elle ordonne ensuite à Daf-nez de l'attendre alors qu'elle prend la file au comptoir de restauration

rapide pour se commander à dîner. Quand elle revient à sa place avec son plateau, elle ne remarque pas tout de suite qu'on l'observe avec attention. Elle attaque son sandwich avec appétit lorsqu'elle entend :

— Annie ?

L'homme qui vient de l'appeler porte le manteau officiel de l'équipe olympique canadienne. Annie le détaille, incapable de mettre un nom sur l'athlète. Un bon mètre quatre-vingt, les épaules larges et musclées, le crâne rasé, des yeux très clairs et cette voix qui semble venue de son adolescence...

— Annie, c'est bien toi ? reprend l'homme. Annie Jobin ?

— Jeffrey ? Jeffrey Hardy ? Incroyable ! s'exclame la jeune femme en se levant de sa chaise. Je ne t'aurais jamais reconnu ! Qu'est-ce que tu fais ici ?

— Une chose à la fois, ma petite Annie. Laisse-moi d'abord te faire la bise.

Annie se jette dans les bras de l'homme et leur étreinte dure de longues secondes. Quand la jeune femme se dégage, elle reste un moment muette à regarder Jeffrey.

— Wow ! Ça fait si longtemps, Jeff... Tu es devenu... un très bel homme.

— Et toi, une dame toujours aussi fascinante. Ça fait combien de temps qu'on ne s'est pas vus ?

— Depuis la fin du cégep. Je suis partie pour l'École nationale de police et toi pour l'armée.

— Et tu as réalisé ton rêve, à ce que je vois. Tu es policière, maintenant, dit-il en avisant le dossard de Daf-nez sur lequel on peut lire « sécurité ». Maître-chien, en plus. Wow !

— Oh ça ! C'est tout nouveau, je suis principalement enquêteuse à Sherbrooke. Et toi, es-tu toujours militaire ?

— Oh non ! Je n'ai pas tenu plus d'un an. Tu me connais, la discipline et moi, on se tient très loin l'un de l'autre.

Annie rit en se remémorant le Jeffrey qu'elle a connu, anarchique, antiautoritaire. C'est un peu ce qui l'avait séduite à l'époque. Et c'est aussi ce qui l'avait poussée à prendre ses distances quand Jeffrey s'était engagé dans les Forces armées canadiennes sur un coup de tête. Elle avait alors cru qu'il la fuyait…

— Qu'as-tu fait à tes beaux cheveux longs et bouclés qui faisaient ta réputation de rocker irrésistible ?

Jeffrey passe sa main sur son crâne rasé en souriant :

— Si j'avais su que je te rencontrerais, je les aurais gardés... Vois-tu, le travail dans les sables bitumineux de l'Alberta est assez salaud, alors la boule à zéro, c'est presque obligatoire.

— Et tu es ici pour participer aux Olympiques ? Pourtant, tu n'étais pas du type athlète, dans le temps.

— Tu nous fais vieillir en disant « dans le temps » ! Mais oui, c'est assez récent. Tu sais que j'ai toujours été du genre... casse-cou. Ado, je tentais tout ce qui pouvait faire frémir mes parents.

— Surtout si c'était interdit, n'est-ce pas ?

— Eh oui ! Et je n'ai pas changé. Il y a quelques années, je me suis mis à la luge extrême, tu sais, ces engins qui dévalent les rues asphaltées à plus de cent kilomètres à l'heure... J'ai été remarqué par des recruteurs. Je suis dans l'équipe olympique de bobsleigh depuis deux ans.

— Du bobsleigh ? répète Annie sur un ton ironique. Tu veux dire que tu te promènes en collants moulants et que tu

fais de la traîne sauvage… Il faut que je voie ça ! Et tu es bon, j'espère ?

— Moque-toi, Annie Jobin ! Je me débrouille très bien, tu sauras ! Je vais te faire parvenir des billets V.I.P. pour que tu assistes à ma compétition, et si je me classe, tu me devras des excuses !

— Ce sera avec plaisir, Jeffy ! déclare Annie en reprenant le diminutif qu'elle utilisait autrefois pour amadouer son amoureux.

— Monsieur Jeffrey Hardy, je vous cherchais, affirme une voix familière derrière Annie. Votre transport est prêt à partir, il ne manque que vous.

Annie se retourne, au comble de la surprise. Steve se tient à quelques mètres d'elle, arborant un manteau à l'effigie des Jeux de Vancouver, avec un badge sur lequel est écrit « délégué, niveau 1 ». Daf-nez réagit la première en se levant et en venant se frotter contre les mollets de Steve, réclamant une caresse.

— Steve ! s'exclame Annie, d'abord ravie puis aussitôt refroidie par l'air irrité de son conjoint qui tente de lui envoyer un message non verbal.

La jeune femme comprend son erreur et se tait. Steve s'adresse alors à elle sur un ton neutre :

— Annie Jobin… Bonjour ! Tu travailles ici, toi aussi ?

— Euh… Oui, bredouille Annie. Je fais partie de la sécurité. Maître-chien. Et toi ?

— Je suis délégué, homme à tout faire au service des athlètes. Aujourd'hui, j'emmène une partie de l'équipe canadienne à Whistler où je suis basé. J'espère qu'on se reverra, ajoute-t-il en fixant Annie.

— Sûrement, fait celle-ci. Je suis à Whistler, moi aussi. Euh… Je te présente Jeffrey Hardy, un ancien copain de cégep.

— Ancien soupirant, tu veux dire, précise Jeffrey en serrant la main de Steve. Et toi, comment as-tu connu notre Annie nationale ?

— C'est une connaissance du Québec. On s'est rencontrés… dans un centre naturiste…

L'étonnement qui se lit dans le regard de Jeffrey et la fureur dans celui d'Annie font naître un demi-sourire satisfait sur les lèvres de Steve.

— Je plaisantais, avoue ce dernier. Eh bien ! si on veut arriver dans la ville de la neige, aussi bien partir tout de suite. Ils annoncent une tempête dans les montagnes. Vous êtes prêt, monsieur Hardy ?

— Juste un instant, dit-il.

Tournant le dos à Steve pour prendre Annie par la taille, il lance :

— Téléphone-moi, petite Annie, j'aimerais beaucoup qu'on se revoie !

Il glisse ensuite sa carte de visite dans la main de la jeune femme et lui colle un long baiser sur la joue.

Annie se dégage. Le visage en feu, elle observe son ancienne flamme qui s'éloigne avec désinvolture. Steve fronce les sourcils et dévisage sa compagne en silence. Avec une expression figée, il lui fait signe de l'appeler avant de disparaître dans la foule.

Annie hausse les épaules en soupirant et se remet à table. *Quand je pense que je m'étais fait une joie de revoir Steve. À cause de sa mission, on va devoir jouer serré chaque fois qu'on se verra en public.* Lors de la signature du contrat de confidentialité, à l'agence, cela avait semblé facile. Or, c'était

loin d'être évident. Annie venait tout juste de débarquer et déjà elle s'était retrouvée coincée entre un ex-amant, encore terriblement attirant, et un Steve frustré de ne pouvoir jouer les mâles alpha. Enfin... façon de parler. Elle regrettait de n'avoir pas eu le temps de faire comprendre à ces deux nigauds qu'elle n'était pas le mont Everest à conquérir.

— Madame Jobin ?

Annie dépose son sandwich à peine entamé. Elle sourit en découvrant devant elle une dame d'un certain âge portant le veston des délégués officiels. C'est une anglophone parlant parfaitement le français, avec un joli accent.

— Avez-vous fait bon voyage, madame Jobin ? Je me nomme Ann. C'est moi qui vais vous conduire jusqu'à votre lieu de résidence, à Whistler. Là-bas, une voiture de courtoisie sera mise à votre disposition pour vous permettre de vous déplacer à votre guise. Mais je vois que vous n'avez pas terminé votre dîner. Prenez le temps de manger.

— Je vous remercie, mais je n'ai plus vraiment faim, déclare Annie qui ressent

soudain une intense fatigue. Partons, Dafnez et moi avons hâte de voir les montagnes et la neige !

— Alors, vous allez être servie, madame Jobin. La seule partie plane de la Colombie-Britannique est la région de Vancouver où nous nous trouvons. Avec son climat océanique, elle a un charme particulier dont vous devriez profiter. Whistler, quant à elle, est située dans la chaîne côtière du Pacifique. Là-bas, vous verrez de la neige. Les montagnes et les fjords y sont à couper le souffle, particulièrement vus de la toute nouvelle autoroute qu'on appelle *Sea to Sky Highway*, parce qu'elle nous mène littéralement « de la mer jusqu'au ciel ».

Chapitre 8

Bosses meurtrières

Il a tempêté toute la nuit. Au lever du soleil, la petite ville de Whistler prend une teinte rosée. Déjà les déneigeuses sont à l'œuvre en prévision de l'affluence monstre engendrée par les Jeux olympiques. Les sommets des deux montagnes jumelles, Whistler et Blackcomb, disparaissent sous un nuage qui s'cffiloche lentement. Il neige encore en altitude où les arbres prennent l'allure de momies.

Annie respire l'air pur avec un plaisir évident alors que Daf-nez trotte avec précaution dans l'épaisse ouate, gobant ici et là un peu dc cette blancheur. La jeune policière s'est levéc tôt, en partie à cause du décalage horaire, mais aussi parce qu'elle est excitée de se retrouver à Whistler. Elle

a l'impression d'être une enfant la veille de Noël. Aujourd'hui, elle doit rencontrer les responsables de la sécurité et recevoir son affectation. Elle sait déjà que la plupart des équipes canines seront postées à l'entrée des visiteurs afin de détecter la présence possible d'armes. Dans deux jours, la cérémonie d'ouverture des Jeux aura lieu à Vancouver et attirera une foule imposante. Annie espère que, malgré son travail, elle pourra voir un peu du spectacle qui l'a toujours fait rêver lorsqu'elle était jeune et qu'elle regardait la retransmission de la cérémonie à la télévision.

En rentrant dans la résidence qu'elle partage avec d'autres membres de l'équipe de sécurité, elle décide d'appeler Steve. Pour la troisième fois depuis son arrivée, elle joint la boîte vocale de son partenaire.

— Encore ? Il le fait exprès, ou quoi ?

Quelques minutes plus tard, son propre cellulaire sonne. C'est Steve.

— Enfin ! fait Annie un peu sèchement.

— Euh… Annie ? C'est moi.

— Je pensais que tu avais oublié mon numéro. J'essaie de te joindre depuis qu'on s'est vus hier.

— Je suis désolé, ma belle, mais je ne peux pas faire ce que je veux à ce poste. Je regrette déjà de l'avoir accepté…

En entendant le ton de voix misérable de son amoureux, Annie se radoucit :

— Je m'excuse… Je m'inquiétais, c'est tout. J'avais tellement hâte de te parler. On peut se voir, ce soir ?

— Euh… Je ne sais pas. Je te rappelle en fin d'après-midi pour te le confirmer. Oh ! attends…

Annie l'entend murmurer quelques mots. Quand Steve lui revient, il semble déçu :

— Je dois te laisser, on a besoin de moi, ici.

Puis, tout bas, il ajoute :

— Je t'aime, tu sais.

Annie raccroche en poussant un profond soupir. Même si elle avait été prévenue, ce n'est pas comme ça qu'elle avait imaginé ce voyage avec Steve. Être aussi proche l'un de l'autre et devoir faire comme s'ils ne se connaissaient pas… *Il aurait mieux valu que je sois postée plus loin, à Vancouver par exemple*, déplore la jeune femme, *au moins nous ne serions pas obligés de faire semblant…*

Daf-nez jappe pour attirer l'attention de sa maîtresse.

— Oui, toi, heureusement que je t'ai. Bon, notre séjour ne fait que commencer et ce sera une magnifique journée, n'est-ce pas, ma belle ?

Le labrador brun se dirige vers l'armoire où Annie a rangé la nourriture pour chien. L'animal s'assoit, comme il a l'habitude de le faire lorsqu'il détecte une arme. Annie éclate de rire.

— Bon, j'ai compris. Il y a urgence ! On mange et, ensuite, au travail !

⇘

Sur la piste à bosses de Cypress Mountain, la montagne désignée pour le ski acrobatique et le surf des neiges, les athlètes examinent le parcours. Ils descendent lentement, enregistrant mentalement les reliefs du terrain, chaque creux, chaque bosse. Ils inspectent l'emplacement des tremplins, repèrent les endroits où ils devront ralentir ou prendre de la vitesse pour bien exécuter leurs sauts. À la fin de la matinée, ils ont droit à une descente

d'essai. Le skieur de bosses tchèque, Milan Horakova, est le premier à se lancer. Le haut de son corps est bien droit et ses genoux semblent montés sur des ressorts. Milan aborde le premier tremplin avec un léger déséquilibre. La réception, suivant l'envolée durant laquelle le skieur a exécuté une figure aérienne en vrille, est plutôt dure. L'athlète s'engage tout de même de nouveau dans les bosses avec assurance et plus de vitesse. Vers le tiers final du parcours, il commence à montrer des signes de fatigue, mais s'élève néanmoins bien haut dans les airs après le deuxième tremplin et réussit un saut parfait composé d'un périlleux arrière avec vrille complète. La réception est bonne et c'est contre toute attente que le skieur s'effondre brutalement sur le monticule suivant. Comme un pantin désarticulé, son corps culbute et rebondit sur les dernières bosses du tracé. Les témoins retiennent leur souffle, sidérés. À cette vitesse, les accidents sont toujours spectaculaires et les skieurs s'en sortent rarement indemnes. Lorsque le Tchèque s'immobilise près de la ligne d'arrivée, ses membres disloqués demeurent inertes.

Les secouristes se précipitent, sécurisent le périmètre et fixent immédiatement un collier cervical au cou de la victime. Ils amorcent ensuite les procédures de réanimation. Après plusieurs minutes de vains efforts, l'équipe de sauveteurs abandonne. Ils entravent le skieur sur la planche dorsale, puis installent la civière dans l'hélicoptère arrivé sur l'entrefaite.

La nouvelle se répand comme une traînée de poudre et sème le désarroi dans la communauté olympique : Milan Horakova, skieur acrobatique tchèque, à sa première présence aux Jeux olympiques, n'aura pas eu le temps de compléter une seule descente sur la piste à bosses.

En attendant d'éclaircir les circonstances du décès du jeune homme de vingt-trois ans, les autorités annulent les essais de l'après-midi et ferment la piste.

Annie est assise à une table un peu à l'écart, au fond du café Eagle Run, à une cinquantaine de kilomètres de Whistler. Étant donné la circulation occasionnée par

les Jeux, il lui a fallu une heure quarante pour se rendre à cette rencontre. Elle observe Steve qui gare sa voiture tout au bout du stationnement. Tuque enfoncée jusqu'aux yeux, lunettes fumées, manteau très quelconque, il marche en direction du casse-croûte en examinant les automobiles stationnées. *Même sa démarche est différente*, se dit Annie qui en rirait si ce n'était si pathétique. Lorsque Steve prend place à la table de la jeune femme, elle ne sait comment réagir. Elle n'a pas vu son amoureux depuis trois jours, trois jours qui lui ont paru une éternité tellement les événements se sont bousculés : l'examen raté, la maladie de Nathalie, le départ pour Vancouver, la rencontre avec Jeffrey et, incidemment, avec Steve. Steve qui est là. Elle s'est ennuyée de lui, elle le sait, elle le ressent dans toutes les fibres de son être, mais quelque chose cloche et elle n'aime pas ça.

— Est-ce que je peux au moins t'embrasser ? demande-t-elle en se levant pour accueillir son partenaire.

— Hum… Tu sais bien que non, objecte-t-il en se tenant un peu à distance.

— Steve Garneau, on dirait que je te dérange.

— Pas si fort, Annie ! Mon nom est Steve Demers, essaie de t'en souvenir. Et tu es pourtant au courant qu'on ne doit pas être vus ensemble, lui rappelle-t-il, mal à l'aise, en dévisageant tous les clients du restaurant.

— Ce n'est pas ce que le contrat stipule. Les athlètes ne doivent pas savoir que nous sommes conjoints, c'est tout. Comme si ça pouvait les intéresser...

— Si ça se savait, certains athlètes malhonnêtes pourraient tenter de remonter à la source et découvrir que je suis enquêteur de police...

— Steve, c'est en te cachant comme tu le fais que tu attires l'attention. Relaxe, mon pit, ce n'est qu'un job.

— Et je le déteste ! grogne Steve, les épaules affaissées comme s'il portait le poids du monde.

— Tu ne peux pas arriver à cette conclusion après trois petits jours. Donne-toi le temps de t'adapter. Amuse-toi un peu. On est à Whistler, aux Olympiques, c'était un de nos rêves, ne l'oublie pas.

— Ce n'est pas le genre de rêve que j'avais imaginé réaliser en ta compagnie. J'ai l'impression que ces six semaines ne finiront jamais…

— Tu sais ce dont tu as besoin, Steve Garneau ? l'interroge-t-elle avec un sourire mystérieux.

— De changer de travail ?

— D'un bon bain, d'un long massage et d'une nuit torride…

— Avec une Suédoise pulpeuse ? propose Steve, les yeux soudain allumés.

— Euh… Je crains que tu ne doives te contenter d'une Québécoise maigrichonne.

— Hum… Ça pourrait aller. Le problème, c'est que tous les hôtels affichent complet.

— J'ai prévu le coup. Je t'emmène chez moi, à la résidence. Je n'ai qu'un lit à une place, mais ça nous rappellera de bons souvenirs…

— Et si on se fait surprendre par un de tes colocataires ? demande Steve, encore hésitant.

— Je leur expliquerai que je suis affectée à une mission de sauvetage. Et… je n'ai rien à cacher, moi ! conclut-elle en faisant

tourner sur son annulaire la bague de fiançailles offerte par Steve quelques années plus tôt, bague qu'elle avait acceptée sans toutefois s'engager officiellement dans des projets de mariage...

⮯

Steve est assis dans la salle commune de la délégation canadienne au village olympique de Whistler. Il sirote son café expresso avec un air de contentement. Il repense à sa nuit en se disant qu'il est chanceux d'avoir Annie comme amoureuse. La seule ombre au tableau de cette charmante soirée avait été le moment du départ de Steve, vers six heures du matin. Un colocataire de la jeune femme était alors sorti dans le corridor et avait posé un regard soupçonneux sur le couple. Steve avait rougi sous sa tuque enfoncée jusqu'aux oreilles et derrière son col relevé, mais Annie l'avait présenté avec une assurance désarmante.

— Ah ! salut, Malcolm. Voici Steve, un ami. Malcolm travaille également à la sécurité. Bon, Steve, on va la dépanner, ta voiture ?

Lorsqu'elle l'avait embrassé à travers la vitre abaissée de l'automobile, avant qu'il ne démarre, le jeune homme lui avait demandé :

— Tu crois qu'il nous causera des problèmes ?

— Steve, cesse de voir des difficultés partout. C'est juste un gardien de sécurité. Et les gardiens de sécurité ne sont pas affectés directement aux athlètes. Toi, oui. Travaille bien, mon chéri.

Autour de Steve, une vingtaine d'athlètes discutent entre eux avant de commencer leur entraînement du matin. Sur l'écran au plasma, le réseau des informations des Jeux olympiques diffuse les nouvelles du jour, la météo et l'horaire des compétitions. Quelqu'un augmente tout à coup le volume et le silence se fait dans la pièce.

« Ce matin, les circonstances entourant la mort du skieur de bosses tchèque Milan Horakova ont été relatées à la centaine de journalistes convoqués à une conférence de presse au village olympique de Vancouver. Nous savons maintenant qu'à son arrivée à l'hôpital général de Vancouver, trente minutes après l'accident, les urgentologues

n'ont pu que constater le décès de l'athlète. Les résultats préliminaires de l'autopsie indiquent que le skieur de vingt-trois ans a succombé à une hémorragie interne massive.

« L'analyse minutieuse de la piste à bosses du site olympique de Cypress Mountain n'a démontré aucun défaut ayant pu causer la perte de contrôle qui s'est avérée fatale pour le sportif tchèque. D'ailleurs, des images vidéo captées par un compatriote de la victime révèlent que l'athlète a perdu connaissance immédiatement après sa réception au sol, à la suite du saut sur le deuxième tremplin. Le comité olympique a donc autorisé la réouverture de la piste et la reprise des essais libres. Néanmoins, la communauté olympique est sous le choc face à ce décès prématuré, à quelques heures des cérémonies d'ouverture des XXIes Jeux olympiques d'hiver. »

La photo de Milan Horakova, en gros plan sur l'écran, plonge les athlètes dans un mutisme profond. Tous sont assaillis par des pensées morbides. Personne, il est vrai, n'est à l'abri d'une défaillance du corps. Toutefois, pour les sportifs de haut niveau, ces défaillances peuvent être mortelles. Tous

le savent et acceptent les risques liés à la pratique de leur discipline. Certains sont même prêts à tout pour accéder au podium, pour la gloire de s'élever sur sa plus haute marche, pour vivre, l'espace d'un instant, la consécration ultime de leurs efforts.

Quelqu'un brise soudain le silence qui s'épaissit :

— Lui as-tu vu la mâchoire ?

Comme si une digue venait de se briser, un flot de paroles inonde d'un coup la salle. Tous se mettent à parler en même temps, à la grande surprise de Steve qui, mine de rien, enregistre dans sa tête toutes les interventions.

— Hormone de croissance, c'est typique[12].

— Et le crâne rasé…

— Depuis qu'on trouve des traces de dopage dans les cheveux, les crânes d'œuf sont à la mode.

— Qui est-ce qui parle de crâne d'œuf, ici ? s'enquiert un athlète chauve. Je ne me dope pas, moi ! J'ai perdu tous mes cheveux

12. La prise de l'hormone de croissance provoque, comme effet secondaire, l'élargissement de la mâchoire inférieure et des pieds.

à l'âge de vingt ans. C'est héréditaire dans ma famille.

— On ne t'accuse pas, Roberto.

— On devrait interdire les crânes rasés trois mois avant les compétitions importantes. De plus, c'est injuste pour les femmes…

Des rires fusent du fond de la salle où quelques femmes ont adopté la coupe courte.

— Voyons donc ! Interdire les crânes rasés, et quoi encore ? Il y a déjà les contrôles antidopage inopinés[13], puis le passeport de l'athlète[14] que l'AMA essaie d'imposer. Bientôt, on devra souffler dans un ballon pour pouvoir s'entraîner le matin et nos toilettes seront branchées directement sur des laboratoires d'analyses. On ne mourra

---

13. Contrôles antidopage effectués en dehors des périodes de compétitions, sans préavis.

14. Le passeport hématologique de l'athlète, présentement à l'étude, servirait à noter les valeurs et les variations biochimiques normales pour chaque athlète après une analyse sanguine minutieuse. Cela éviterait, par exemple, à un homme ayant des valeurs en testostérone normalement plus élevées que la moyenne d'être injustement déclaré positif à un test antidopage. Les marges d'erreur des tests pourraient ainsi être réduites et, inversement, plus de tricheurs pourraient être détectés.

pas de s'être drogués, mais au bout de notre sang à force de s'en faire prélever.

— Tout ça n'arriverait pas si les athlètes restaient propres.

— Les athlètes, les athlètes… On nous montre toujours du doigt, mais on oublie les exigences des commanditaires et du public. Tout le monde veut voir de meilleures performances. Tout le monde veut que les records soient battus. Et ça donne parfois de tristes spectacles comme celui auquel on vient d'assister.

Ce dernier commentaire clôt la discussion et les athlètes se dispersent. La mort de Milan, même si l'enquête du coroner n'est pas encore terminée, vient d'être classée. Steve note que les avis sont partagés, mais que rien ne lui permet encore de savoir quel athlète joue franc-jeu, ou non. Il sait bien que ceux qui se taisent ne sont pas nécessairement blancs comme neige.

⇘

Dans le laboratoire du coroner sur l'avenue Cornwall, à Vancouver, le docteur Weiss allume le dictaphone et entreprend

de décrire à haute voix toutes les étapes de l'autopsie de Milan Horakova. Il découpe la cage thoracique et note :

— Hémorragie interne. La cavité thoracique est remplie de sang.

Il dégage ensuite le cœur et les poumons. Il appelle alors son assistant :

— Jack ! Regarde ses artères !

— Impressionnant ! As-tu déjà vu ça chez un individu aussi jeune ? Tous les organes ont l'air sur le point d'exploser.

— Ce n'était qu'une question de temps avant qu'il ne meure. L'impact de sa chute a suffi pour faire éclater son aorte. Une bête rupture d'anévrisme, à première vue.

— Ses organes sont si abîmés... Il aurait pu mourir rien qu'en ayant le souffle coupé à la vue d'une belle femme, murmure Jack en souriant à moitié. Comment s'est-il rendu jusqu'aux Jeux dans cet état ? Personne ne l'a donc examiné correctement ?

— En Europe de l'Est ? J'imagine que le système de santé n'est pas exemplaire. Dommage. Il était si jeune. Au Canada, lorsque monsieur Tout-le-Monde est menacé d'une rupture d'anévrisme et qu'elle est détectée à temps, il suffit d'une opération

et c'est réglé. Quant à ce pauvre gamin, il aurait fallu lui changer toutes les artères… C'est ça qui n'est pas normal…

— Tu penses qu'il souffrait d'autre chose ? s'enquiert Jack, curieux.

— C'est si étrange… Un tel gâchis… Regarde les épanchements sanguins un peu partout… et le foie, ici…

— Et si c'était une hépatite fulminante ? suggère Jack.

— Causée par quoi ? demande l'aîné à son élève.

— Un virus ? Un champignon vénéneux ? Une surdose médicamenteuse ?

— C'est ce qu'il va falloir trouver. On prélève un échantillon de chacun des organes et on teste toutes ces hypothèses.

Après avoir identifié chacun des échantillons, Jack referme le corps et le retourne dans le réfrigérateur de la morgue. Il rejoint ensuite Weiss dans son bureau.

— Si c'est médicamenteux, penses-tu qu'il voulait se suicider ?

— À petit feu ? Non.

— Alors, ce serait une maladie ? Ou on l'a empoisonné ?

— Ou bien… il se dopait.

Un ange passe pendant que les deux scientifiques mijotent l'idée. Weiss range le dossier en disant :

— Et quelqu'un écrira sur sa tombe : *Mort d'avoir voulu gagner à tout prix.*

Chapitre 9

Brew House

Depuis la cérémonie d'ouverture des Jeux, la routine s'est installée pour Annie. La journée actuelle se déroule donc comme les autres. Annie se lève à six heures, fait son jogging avec Daf-nez, déjeune, puis part au travail.

À passer tout leur temps ensemble, la jeune femme et le chien sont de plus en plus unis. Annie est heureuse de cette complicité, même si le boulot manque un peu d'originalité. Une fois installée dans la voiture avec Daf-nez, la policière vérifie l'horaire des compétitions afin de savoir où elle est attendue. Parfois, elle doit se rendre à Creekside, sur la montagne de Whistler, pour le ski de descente. Puis, occasionnellement, on la demande au Centre des

sports de glisse, entre les monts Whistler et Blackcomb, pour la luge et le bobsleigh.

Ce matin, Annie file plutôt vers le Parc olympique, situé à une vingtaine de kilomètres de Whistler, pour le saut à ski et le ski de fond. Avant l'arrivée des spectateurs, Annie et Daf-nez font le tour des estrades, de tous les lieux ouverts au public et des poubelles. Elles s'installent ensuite à une des entrées des spectateurs et la chienne procède à la fouille olfactive de ces derniers. La plupart ne s'en formalisent pas, se considérant privilégiés de pouvoir assister aux Jeux. Toutefois, un groupe de musulmans proteste. Annie sait que, pour eux, le chien est un animal impur. Elle leur indique donc une salle spéciale où ils seront passés au détecteur de métal. Comme tous les maîtres-chiens, la jeune policière juge que cette fouille est incomplète, car la machine ne peut détecter les Glocks. Elle décide donc de tricher un peu. Ainsi, alors qu'elle accompagne le groupe dans la salle, elle laisse Daf-nez s'approcher des hommes, sans les toucher.

Jusqu'à maintenant, tout va bien. Puis, un préposé au départ des compétitions de

ski de fond se présente à l'entrée du public, plutôt qu'à celle des employés, plus éloignée du site de l'épreuve. L'homme, après avoir bousculé quelques spectateurs dans sa course, passe devant Daf-nez. La chienne s'assoit aussitôt. Trop essoufflé pour parler, mais ne voulant pas être fouillé, le nouveau venu ouvre sa mallette, dévoilant son pistolet de starter. Une vieille dame derrière lui se met du coup à crier, provoquant un début de panique dans la file d'attente.

— Je suis en retard, laissez-moi passer, s'il vous plaît, s'indigne l'homme à la mallette.

Annie, avec un sourire en coin, exige de voir la carte d'employé de l'inconnu et prend quelques secondes pour examiner le pistolet. Elle le lui rend sur une tirade :

— Monsieur Adams, la prochaine fois, levez-vous quelques minutes plus tôt et utilisez la bonne guérite. *Rien ne sert de courir, il faut partir à point !* Vous êtes bien placé pour la savoir, il me semble…

L'incident a l'effet escompté par Annie. Tous les témoins pourront raconter combien l'utilisation des chiens détecteurs est importante, sinon essentielle à la sécurité des Jeux.

Ceci alors que le souvenir de l'attentat terroriste des Jeux de Munich a été ravivé par les médias, la veille, pour justifier la longueur des files d'attente aux abords des sites.

Au début de la soirée, le cellulaire d'Annie sonne.

— Ah ! C'est toi, Steve, répond-elle, sûre d'avoir son amoureux au téléphone.

Le silence de son interlocuteur la prend par surprise.

— Non, ce n'est pas Steve. C'est Jeffrey.

— Jeffrey ? Jeffrey Hardy ? Comment as-tu eu mon numéro de téléphone ?

— Steve ? Le Steve qui t'a connue sur la plage nudiste ?

— Euh… Non, répond Annie, en retenant son souffle, consciente d'avoir gaffé. Mais… c'est également le nom de mon copain.

En disant cela, Annie ne ment qu'à moitié. Le Steve que Jeffrey a vu à l'aéroport, celui qui travaille comme délégué et qui sert des blagues machos pour faire l'intéressant, n'est pas vraiment le Steve qu'Annie

connaît et aime. De toute façon, suivant l'entente de confidentialité qu'elle a signée, la jeune femme n'a pas le choix de mentir. Personne ne doit savoir qu'elle et Steve sont partenaires, dans la vie privée comme dans le travail.

— Ah ! je vois, dit Jeffrey avec une pointe de déception dans la voix. Annie, je t'ai laissé plusieurs messages à ta résidence… Comme tu ne me rappelais pas, j'en ai déduit que tu ne les avais pas eus ou que tu avais perdu mon numéro.

— Des messages ? Non, en effet, je ne les ai pas eus. Mais mon numéro est confidentiel, comment l'as-tu obtenu ?

— Allez, on ne s'est pas rencontrés par hasard à l'aéroport, susurre-t-il, évasif. Il faut bien fêter nos retrouvailles. Je t'invite à la Brew House, la petite brasserie sur la place du village. Je peux aller te chercher si tu veux.

— Non, c'est bon, je sais où c'est, répond Annie, après un moment d'hésitation. On se voit à huit heures, mais pas longtemps, je veux me coucher tôt.

Annie raccroche sans trop comprendre ce qui l'a poussée à accepter l'invitation. Le

fait que Jeff ait déniché son numéro de téléphone la choque et l'inquiète un peu. Elle n'a pas vraiment envie qu'il sache où elle vit. De plus, elle n'a pas réussi à parler à Steve depuis deux jours et elle espérait le « kidnapper » ce soir, ou du moins avoir avec lui une longue conversation téléphonique pour chasser l'ennui… *Tant pis,* se dit-elle, *il faut prendre ce que la vie met devant nous, sinon l'occasion risque de ne jamais se reproduire.* Au fond, elle ne peut se le cacher : elle est curieuse de savoir ce qu'il est advenu de son copain depuis leur séparation, à la fin du cégep.

La Brew House est remplie à craquer lorsque la jeune femme s'y présente, quelques minutes avant huit heures. Découragée, elle se dit qu'il n'y aura jamais de place pour elle et Jeffrey. Elle patiente un peu, scrutant les clients qui occupent les tables les plus proches. Un serveur vient la voir, lui demande si elle s'appelle Annie, puis la conduit jusqu'au foyer, où Jeffrey l'attend, confortablement assis sur un divan de cuir.

— Tu dois être là depuis cinq heures pour avoir eu cette place de choix ?

— J'ai téléphoné, dit-il simplement en se levant pour l'accueillir.

Jeffrey prend Annie dans ses bras, l'étreint longuement et s'imprègne du parfum de ses cheveux.

— Hum !... Ça fait plaisir de te revoir. Tu as réveillé des tas de souvenirs lorsqu'on s'est vus à l'aéroport.

Annie se dégage, un peu mal à l'aise. Elle réserve ce genre d'accolade à Steve depuis des années. Elle prend place sur le divan à côté de Jeffrey.

— J'espère que ce sont de bons souvenirs, ajoute-t-elle en riant. Mais dis-moi, Jeffrey, je croyais que les athlètes ne prenaient pas d'alcool avant les compétitions. Le bobsleigh est-il un sport si différent pour que tu te permettes une bière ?

— Très différent, en effet. Il exige de la force, du courage et... d'avoir l'esprit dérangé, parce qu'on risque notre vie à chaque descente, répond-il en fixant Annie de ses yeux bleus. La bière, c'est pour faire viril.

— Ha ! ha ! ha ! s'exclame Annie. C'est vrai qu'avec tes collants moulants...

— Moque-toi, Annie Jobin, mais je suis persuadé que tu n'aurais pas le courage de faire une descente.

— Heureusement, on ne le saura jamais !

— C'est que tu me connais mal, conclut mystérieusement Jeffrey, en calant le restant de sa bière. Garçon, une autre bière ! Légère, bien sûr ! Et toi, qu'est-ce que tu prends, petite Annie ? Une tisane, comme dans le bon vieux temps ?

Annie sourit. Adolescente, elle détestait le goût de la bière. Cela avait changé en vieillissant, comme bien d'autres choses.

— Non, je suis grande, maintenant. Une Kokanee, s'il vous plaît, lance Annie au serveur.

— Une bière locale ? On se confond toujours dans la masse, à ce que je vois, dit Jeffrey, ironique.

— Pas du tout ! rétorque la jeune femme. J'adore découvrir les spécialités du terroir. La Kokanee est brassée dans les montagnes d'ici, avec l'eau des glaciers. Bon, assez parlé de moi : qu'as-tu fait après avoir laissé l'armée ?

— J'ai traîné ici et là, en faisant tous les petits boulots qui me permettaient de vivoter. Rien d'engageant. Jusqu'à la ruée vers l'or noir et les sables bitumineux de l'Alberta. Je travaille présentement pour Pétroles Canada. On extrait le bitume avec de la vapeur d'eau et je suis le spécialiste des pompes. Alors, comme on dit dans le métier, c'est moi qui fais le sale boulot. Mais on me paie assez bien et Pétroles Canada est le principal commanditaire de mon équipe de bob. Que demander de plus ?

Annie ne répond pas. Elle a peu de respect pour les pétrolières depuis qu'elle a vu des reportages sur l'extraction et la transformation des sables bitumineux. L'étendue des dommages environnementaux causés par ce processus est à peine croyable. Et pourtant, la jeune femme sait que le pétrole est un mal nécessaire, qu'on n'aura pas le choix d'en utiliser aussi longtemps qu'un carburant de remplacement ne sera pas sur le marché. En attendant, difficile de juger et de condamner les travailleurs comme Jeffrey. Annie décide donc de changer de sujet.

— Es-tu marié ? As-tu des enfants ?

— Première question, non, je n'ai pas encore trouvé celle qui acceptera de voir traîner mes bas sales et mes caleçons dans le salon. Deuxième question, j'espère que non ! Encore là, je n'ai pas déniché l'être parfait avec lequel je voudrais mêler mes gènes exceptionnels, répond-il en fixant intensément Annie malgré un sourire en coin. Et toi, petite Annie ?

La jeune femme parvient à détacher son regard de celui, hypnotisant, de Jeffrey. Elle frissonne, sans même s'en rendre compte, et précise sur un ton léger :

— Je n'ai pas d'enfants, moi non plus. Mais pas pour les mêmes raisons. Mes gènes ne sont pas si... comment dis-tu... exceptionnels.

Annie n'allait quand même pas parler de sa fâcheuse expérience dans la secte AVE[15] où on l'avait utilisée, bien malgré elle, comme mère porteuse.

— J'attends que ma carrière soit lancée. Je veux profiter de ma liberté. Il paraît que c'est accaparant, une famille.

---

15. Voir *Clone à risque*, Biocrimes 2, de la même auteure dans la même collection.

— Mais, tu as un copain… Steve. C'est… sérieux… entre vous ?

— Oui, très sérieux. Il m'a proposé le mariage plusieurs fois, fait-elle en exhibant la bague qu'elle porte à la main gauche.

— Et… quand songez-vous à vous marier ? s'enquiert Jeffrey, visiblement un brin déçu.

— Je ne sais pas. Si c'est pour avoir une cérémonie avec la robe, la demoiselle d'honneur, la centaine d'invités et tout le fla-fla, très peu pour moi.

— Et c'est ce qu'il veut, ton Steve ?

— Non, il veut se rassurer, je crois.

— Ah bon…

Annie se tortille sur le divan, mal à l'aise. Elle s'en extirpe subitement et déclare :

— Jeff, je travaille demain. Je dois me coucher de bonne heure. Et Daf-nez n'aime pas rester seule dans la chambre.

— Attends, l'interrompt Jeffrey en se levant et en sortant de la poche de sa veste une enveloppe qu'il montre à Annie, sans toutefois la lui donner.

— Qu'est-ce que c'est ?

— Des billets pour assister à la compétition de bobsleigh à deux. Aux premières

loges. Même la gouverneure générale du Canada n'aura pas une aussi belle vue.

— Oh ! je ne sais pas, Jeffrey, je travaillerai sûrement.

— C'est dimanche prochain. Tu as le temps d'organiser ton horaire.

— Enfin… merci ! C'est vraiment gentil d'avoir pensé à moi, dit-elle en tendant la main.

— Non, je ne te les donne pas tout de suite. Tu dois les mériter, explique-t-il en faisant disparaître les billets.

— Les mériter ? répète la jeune femme, sentant le piège.

— Oui, je vais t'appeler cette semaine, en soirée. Tu devras te rendre à l'endroit que je t'indiquerai, et accepter de faire ce que je te demanderai.

— Oh ! non, Jeffrey, pas de ça entre nous, s'offusque Annie en secouant la tête. Je t'aime bien, je suis très contente de t'avoir retrouvé, mais… on n'est plus au cégep. J'ai un copain… et je suis sérieuse en amour.

Jeffrey éclate de rire.

— Aie confiance, je ne chercherai pas à profiter de ton corps de Vénus avec mon corps d'Apollon. C'est pour te faire vivre un autre genre d'expérience inoubliable. Ça te va? Accepte, tu vas voir, on va bien rigoler.

Annie fait la moue, secoue de nouveau la tête et finit par dire:

— Je verrai. Je n'aime pas me sentir coincée.

— Alors, tu n'as pas changé une miette, petite Annie, affirme Jeffrey en s'éclipsant dans la foule.

Chapitre 10

Acétaminophène

Au laboratoire du coroner, les résultats des analyses toxicologiques effectuées sur le corps du skieur tchèque Milan Horakova viennent tout juste d'arriver. Déçus, le docteur Weiss et son assistant Jack épluchent les pages de données.

— De l'acétaminophène, c'est tout. En grande quantité, certes, mais pas assez pour avoir tué notre homme, déclare Weiss.

— Donc, on écarte l'hépatite fulminante, conclut Jack, pensif. Est-ce qu'il aurait pu être empoisonné sur une longue période ?

— Empoisonné... Tu lis trop de romans d'Agatha Christie.

— Bon, d'accord. Dopé, disons... Agatha qui ? ajoute Jack, avec un sourire malicieux.

— C'est vrai, vous les jeunes n'avez pas le temps de lire les classiques. Je devrais dire Kathy Reichs[16]. Continue avec ton histoire de dopage…

— Est-ce qu'on pourrait être en présence d'un nouveau produit ? J'imagine un composé, appelons-le la molécule X, qui se dissout difficilement et qui demeure dans le sang avant d'être éliminé. Les cristaux agiraient comme du papier d'émeri et désagrégeraient les parois vasculaires, ce qui userait prématurément les organes.

— Peut-être. Mais il faudrait que le système immunitaire ne réagisse pas. D'habitude, ces corps étrangers sont pris en charge par les globules blancs…

— À moins que les cristaux ne soient trop nombreux…

— Auquel cas nous en aurions trouvé des traces dans le système de la victime. Or, il n'y a rien d'anormal dans les analyses, mis à part une grande quantité d'acétaminophène. Mais en admettant cette hypothèse,

---

16. Anthropologue judiciaire, professeure d'université et auteure de romans policiers américaine. Elle vit et travaille autant à Montréal qu'en Caroline du Sud.

la molécule X devrait donc être éliminée rapidement du système…

— Ou bien elle est toujours là, camouflée par autre chose… Un produit masquant[17]. L'acétaminophène pourrait jouer ce rôle, suggère Jack après un moment de réflexion. Mais de là à en donner autant…

— Question de dosage. Si le corps nécessite une grande quantité de la molécule X pour obtenir un résultat sportif intéressant, elle est peut-être difficile à masquer. L'athlète a pu en prendre sur une longue période, ce qui justifierait la détérioration de son foie et de ses organes. Oui, ça se tient.

— Qu'est-ce qu'on fait, maintenant ? lance Jack, ragaillardi par la discussion.

— Tu envoies les échantillons à un autre labo pour corroborer les résultats et voir s'ils peuvent détecter une molécule plus petite, encore présente dans les organes. Je vais demander conseil à l'AMA et leur soumettre notre hypothèse. Découvrons ce

17. Un produit masquant sert à masquer l'usage de produits dopants en accélérant ou en retardant leur élimination.

produit et on comprendra mieux pourquoi ce Milan l'avait dans le corps. Et préparons-nous au pire : si une nouvelle drogue fait fureur parmi les athlètes dopés, nous aurons bientôt d'autres cadavres sur les bras…

Steve a terminé très tard sa journée de travail. Être au « service » des délégations n'est pas de tout repos. Cette fonction est généralement occupée par des bénévoles qui connaissent la région et ses ressources comme le fond de leur poche, parce qu'ils y vivent, ce qui n'est pas le cas du jeune homme. Ce dernier doit parfois se rendre dans des endroits qu'il ne connaît pas du tout pour y prendre des athlètes. Son GPS l'aide alors à se concentrer sur sa véritable mission, se fondre dans le monde olympique et mettre les compétiteurs en confiance. Il s'occupe de quatre délégations, soit la canadienne, la française, l'américaine et la britannique, qui regroupent, seulement à Whistler, plusieurs centaines d'individus. Il fait des efforts pour se souvenir du nom de tous les athlètes sous sa responsabilité.

Il essaie également de retenir le plus de détails possible sur la vie de chacun de ses protégés. Steve espère ainsi être en mesure de discuter avec eux chaque fois que l'occasion se présente. Parfois, il a la désagréable impression de s'adonner à une sorte de *speed dating*…

Les compétitions ne font que commencer, mais le jeune homme a déjà assisté à nombre d'entre elles et il sait qui a gagné quoi. Ses contacts avec les membres des délégations demeurent superficiels, mais il sent, à certains signes, qu'il entre peu à peu dans leur cercle : plusieurs l'appellent par son prénom et requièrent quotidiennement son aide.

Ce soir, Steve est assis seul à un « bar santé » du village olympique. L'atmosphère feutrée, les écrans de télévision et les tables basses au milieu de divans confortables attirent les athlètes après une journée d'entraînement et de compétition. Les cocktails sont tous servis sans alcool. À quelques mètres de l'enquêteur, un individu d'une quarantaine d'années discute à voix basse avec un homme plus jeune, au visage étroit, sec, et aux muscles saillants sous une

peau d'apparence cireuse. *Probablement un athlète*, se dit Steve qui se creuse la mémoire afin d'identifier ce nouveau venu. Malheureusement, ces inconnus conversent en langue étrangère. Steve n'y comprend rien. Toutefois, la gestuelle des deux personnages l'intrigue et il ne peut s'empêcher de les observer au travers de son verre. Ils semblent assez agités, particulièrement l'athlète qui joue nerveusement avec une petite boîte en plastique qu'il repousse vers l'autre homme. Ce dernier tente de calmer l'athlète en lui prenant la main. Le sportif tressaille. Le ton monte. Le plus vieux finit par s'éloigner après un regard que Steve qualifierait de menaçant.

L'athlète reste assis au bar, les coudes plantés sur le comptoir, triturant toujours la boîte de plastique qu'il fixe avec des yeux vides. Soudainement, sa respiration s'accélère et il se redresse en poussant un hoquet de douleur, les mains crispées sur le côté droit de sa poitrine. Puis, comme si on avait débranché le courant, il s'effondre au sol.

Steve se lève d'un bond et se précipite vers la victime. Heureusement, l'homme

respire encore et son cœur bat. L'enquêteur demande aussitôt au barman d'appeler le 9-1-1. En attendant les secours, il parle au malade et vérifie fréquemment ses signes vitaux. Steve fouille les poches de l'athlète et découvre ses papiers d'identité, au nom d'Aleksander Vojtech, de nationalité polonaise. À l'arrivée des ambulanciers, Alek n'a pas repris connaissance. Steve raconte tout ce qu'il a vu, y compris la boîte de plastique, la querelle avec l'autre homme, puis la chute du sportif. Le barman confirme ses dires et ajoute que le malade a pris une boisson à base d'agrumes et de guarana.

Après ce tohu-bohu, Steve reprend sa place au bar et termine son café en se disant que les compétiteurs ont l'air en bien piteux état, cette année. D'abord Milan Horakova, puis Aleksander Vojtech. Deux athlètes de l'ancien « bloc de l'Est ». Puis il chasse cette pensée. Cet Alek n'a probablement eu qu'une simple défaillance. En quittant la pièce, Steve remarque la boîte de plastique sur le plancher, sans doute tombée lorsque Vojtech a vacillé. Steve la ramasse avec un mouchoir de papier, réflexe d'enquêteur à la criminelle. C'est une petite boîte, sans

aucune inscription. Il l'ouvre avec précaution. Elle ne contient que deux comprimés blancs, sans marque ni signe particulier. Il dépose le pilulier dans la poche intérieure de son manteau. *Je téléphonerai à l'hôpital demain pour leur dire que j'ai l'objet en ma possession.* Un moment, il se propose aussi de téléphoner à Annie pour lui raconter sa journée, comme il a l'habitude de le faire lorsqu'il rentre du travail. Cependant, une fois le numéro composé, le jeune homme se heurte à la boîte vocale de sa conjointe. Il hausse les épaules et sort du bar pour rentrer chez lui.

Annie n'attendait pas le téléphone de Jeffrey aussi rapidement. Depuis le matin, l'étrange invitation avait occupé son esprit. Pendant des heures, elle avait tenté de se convaincre qu'elle n'accepterait pas de rejoindre l'athlète. En même temps, la curiosité la tenaillait. Que pouvait bien lui vouloir l'athlète de bobsleigh pour qu'il s'entoure d'autant de mystère? Il lui avait confirmé, la veille, que ses intentions

n'étaient pas d'ordre sensuel, auquel cas Annie se serait aussitôt retirée de cette affaire. Jeffrey et Annie s'étaient fréquentés pendant deux ans, certes, mais la décision de la séparation, bien que déchirante, avait été mutuelle. La jeune femme avait rangé cet ancien amant dans ses souvenirs de jeunesse et elle ne souhaitait pas reprendre une relation avec lui, même s'il était devenu beaucoup plus attirant qu'elle ne l'aurait souhaité. Autrefois, ils s'étaient connus très intimement. Leurs rapports actuels étaient donc dépourvus de toute timidité, car leurs corps s'étaient reconnus. Aussi, Annie savait que la barrière était mince et elle ne voulait à aucun prix la franchir. Elle le lui avait dit : elle était fidèle en amour.

Vers 18 h 30, le téléphone de la jeune femme sonne enfin. Elle manque de répondre « Salut, Steve », mais se reprend juste à temps en reconnaissant le numéro sur l'écran de son portable.

— Hé, Annie ! C'est ce soir le grand soir, annonce Jeffrey d'un ton enjoué. J'espère que tu es prête ?

— Écoute, Jeff… J'y ai bien réfléchi et j'ai décidé de ne pas accepter ton invitation.

Le silence au bout de la ligne en dit long sur la déception de l'athlète.

— Tu devrais reconsidérer ta décision. Tout est prêt, ici, je me suis mis en quatre et je prends des risques pour t'offrir ça.

— Tu as certainement d'autres copines qui voudraient en profiter. J'imagine que tu dois avoir des admiratrices qui n'attendent qu'un signe de toi…

— Non, Annie. Je pense que tu te méprends sur mes intentions. Je ne cherche pas à te conquérir pour que tu couches avec moi. Je veux juste te faire vivre quelque chose d'exceptionnel, que tu n'auras jamais l'occasion de faire ailleurs. Je crois me rappeller qu'autrefois tu tenais à saisir toutes les opportunités qui se présentaient à toi. Tu ne le regretteras pas, je te le jure.

Annie ne répond pas, tiraillée entre l'attrait de l'inconnu, la crainte de décevoir Jeffrey et la peur de se compromettre dans une aventure malsaine. Elle inspire profondément avant de laisser tomber :

— D'accord, mais je veux que tu me promettes de ne rien faire sans mon consentement.

— Promis, fais-moi confiance, petite Annie, répond Jeffrey, ravi.

— Et arrête de m'appeler *petite Annie*, c'était le surnom affectueux que tu me donnais avant…

— Bon, d'accord… Grande Annie, dans ce cas ? Je termine mes entraînements vers 21 h 30. Rejoins-moi à l'entrée du Centre des sports de glisse, au bas des pentes. Avec ton badge de sécurité, tu ne devrais pas avoir de difficulté à te faire admettre. Je te retrouve dans le stationnement.

— Et comment je m'habille ?

— En bikini, voyons ! Mais non, je blague ! C'est l'hiver, ici. Alors, habille-toi comme lorsque tu allais jouer dans la neige, quand tu étais gamine !

Annie raccroche, de plus en plus intriguée. Un instant, elle se revoit avec son habit de neige rose fluo et son interminable foulard qui lui masquait le front et les joues. À ce souvenir, elle éclate de rire. Elle se convainc qu'il n'en tient qu'à elle pour que la soirée soit agréable.

Le téléphone sonne de nouveau. C'est Steve, cette fois. Annie décroche en croisant les doigts.

— Salut, ma belle ! As-tu soupé ?

— Euh… Non, pas encore, j'arrive à l'instant.

— Parfait ! Je t'invite dans un resto pas très loin et on finit la soirée « collés, collés » comme la dernière fois ? Si tu vois ce que je veux dire…

— Euh… Ça tombe mal, bredouille Annie.

La jeune femme se demande si elle doit révéler la cause de son empêchement à Steve. Elle choisit de ne pas piper mot afin que le jeune homme ne soit pas tenté de s'imaginer des choses.

— C'est que… j'ai déjà prévu une sortie. Tu aurais dû me prévenir plus tôt…

— Ah bon. Ça fait quand même quelques jours qu'on ne s'est pas vus et je pensais que ça te plairait… Je n'ai pas d'autres soirs libres avant lundi.

— C'est vraiment dommage. Je ne peux pas annuler, Steve.

— Je pourrais peut-être me joindre à vous ?

— Pour ta couverture, je ne crois pas que ce soit une bonne idée. Et je ne voudrais pas avoir à faire semblant de ne pas te connaître, c'est trop difficile. Je me

libère pour lundi, sans faute. On se téléphone, d'accord ?

En raccrochant, Annie s'assoit et se prend la tête à deux mains. Pourquoi a-t-elle l'impression de s'enfoncer dans un marécage ? Elle aurait pu avouer à Steve que Jeffrey lui avait promis des billets pour la compétition de bobsleigh. Ç'aurait été la vérité, enfin une demi-vérité. Aurait-elle dû lui parler de l'événement mystère alors qu'elle-même n'était pas vraiment sûre de ce qui allait se passer ? Annie connaissait suffisamment Steve pour savoir qu'il se serait inquiété et elle n'aurait pas pu le rassurer. *Je suis assez grande pour garder le contrôle. Quand le comprendra-t-il ? Allons, il vaut mieux me taire pour l'instant…*

Annie regarde sa montre et constate qu'elle n'a que le temps de prendre une bouchée avant de partir

Steve se présente à l'urgence de l'hôpital général de Vancouver où a été admis Aleksander Vojtech. Il cherche la chambre de l'athlète polonais. Il veut lui rendre le pilulier, mais surtout voir sa réaction face

au contenant. Évidemment, le jeune homme s'est au préalable chargé de prélever un échantillon de chaque comprimé à l'intérieur et de les envoyer au laboratoire régional de l'AMA pour analyse.

Plus tôt, lorsqu'il avait joint l'hôpital pour signaler l'existence de la petite boîte, on lui avait expliqué qu'étant donné l'état du patient, il était peu probable que le pilulier lui soit utile. Toutefois, l'hôpital avait refusé d'en révéler plus et s'était contenté de préciser qu'Alek devait être rapatrié le lendemain. *Pourtant, il n'y a eu aucun bulletin ou point de presse à ce sujet dans les médias,* avait pensé Steve, déconcerté.

Deux heures de route plus tard, le policier avance dans les corridors de l'urgence. Une infirmière l'aborde.

— Puis-je vous aider ?

— Oui, je viens visiter Aleksander Vojtech. C'est... euh... un ami.

Le regard sévère de la garde s'adoucit.

— Chambre 34. Prenez-en bien soin, il n'est pas très fort.

— C'est sérieux à ce point ? questionne Steve, étonné.

— Vous n'êtes pas journaliste, au moins ? Non. Tant mieux. Bon, comme il n'a pas de famille ici, je peux vous le dire, mais gardez cette info pour vous : il est en phase terminale... Cancer du foie. Pour un homme aussi jeune et athlétique, quel coup dur ! Ne restez pas plus de cinq minutes avec lui, il a besoin de beaucoup de repos.

— Merci, bafouille Steve, atterré en avisant la porte 34, une porte s'ouvrant apparemment sur l'antichambre de la mort...

L'homme dort d'un sommeil agité. Steve a de la difficulté à reconnaître celui qu'il a vu la veille. La maladie, ou peut-être le fait de se savoir mourant, a posé un masque funèbre sur le visage de l'athlète de trente ans. Aleksander se réveille et sursaute en voyant Steve. Celui-ci se présente et évoque les événements de la soirée précédente, au bar. Puis, il montre le pilulier au malade :

— Je l'ai trouvé après le départ des ambulanciers.

— Plus importance maintenant, murmure Aleksander dans un anglais approximatif, en détournant ses yeux soudain remplis de larmes.

Steve dépose le pilulier sur la table près de l'athlète.

— Y a-t-il quelque chose que je puisse faire pour vous ?

Après avoir scruté Steve un long moment, Aleksander demande une feuille de papier, un crayon et prépare une note. Il plie la feuille et inscrit un nom dessus.

— Voir cet homme… délégation polonaise. Lui donner message.

Surpris, Steve prend le papier et déchiffre le nom tracé d'une main tremblante : « Klemens Biernat ». Le mot est écrit dans une langue que l'enquêteur ne connaît pas. Lorsqu'il s'enquiert du contenu du pilulier auprès de l'athlète, celui-ci se tourne vers le mur et ferme les paupières. Le policier quitte l'hôpital, bouleversé par cette rencontre, mais conscient d'avoir peut-être quelque chose à se mettre sous la dent. Assis dans sa voiture, il téléphone à Martin, son contact à l'AMA.

— J'ai des informations qui pourraient s'avérer intéressantes. Un athlète polonais, Aleksander Vojtech, avec un cancer du foie en phase terminale. Plutôt étrange, non ? Il devait concourir dans quelques jours. Il est

actuellement à l'hôpital, en attente d'un transfert pour son pays.

— Et quel est le rapport avec nous ?

— Je l'ai vu hier manipuler une boîte de plastique, un pilulier en fait, et discuter âprement avec un autre homme. Puis il a perdu connaissance en échappant le pilulier que j'ai récupéré. Je le lui ai remis à l'hôpital, où il m'a transmis un message à livrer à un certain Klemens Biernat de sa délégation.

— Quoi ? Tu lui as redonné le pilulier ?

— Pas sans avoir pris des échantillons, bien sûr ! Ils sont déjà au laboratoire pour analyse. J'ai exigé qu'ils t'envoient rapidement les résultats.

— Bien joué, Steve ! Et que dit ce message ?

— Je dois le faire traduire, c'est écrit en polonais... Enfin, j'imagine.

— Katiana, la déléguée responsable des pays de l'Est, devrait pouvoir le lire pour nous. Arrange-toi avec elle pour l'envoi du message à ce Klemens. Surveillez ses réactions et gardez-le à l'œil. Soyez prudents et ne vous faites pas remarquer. De mon côté, je vais m'assurer que soient multipliés

les contrôles antidopage pour les athlètes polonais et tchèques.

— Tchèques ? À cause de Milan Horakova ? Quelles sont les conclusions de l'autopsie ?

— Hémorragie interne. Ses artères étaient usées comme celles d'un vieillard. On pense qu'une substance étrangère a pu se retrouver dans son corps, mais on ignore laquelle. Ce n'est pas un cas de dopage classique, si jamais c'en est un. Allez, bon travail, Steve ! Continue de me tenir au courant.

Chapitre 11

La surprise

À 21 h 30 précises, Annie franchit la guérite du Centre des sports de glisse de Whistler. Elle se gare dans le stationnement du bâtiment d'entretien, au bas de la piste, et arrête son moteur. Elle frissonne malgré son manteau d'hiver. Bientôt, elle entend une voiture démarrer à quelques emplacements de la sienne. Un Hummer rouge. *Ces trucs-là sont bons pour les grands enfants qui n'ont pas encore terminé leur phase Tonka*, se dit Annie. *Ou pour les riches sauvagement insouciants de l'environnement.* La jeune femme sursaute lorsqu'on cogne à sa vitre. C'est Jeffrey. Il porte deux sacs aux couleurs de l'équipe olympique canadienne et lui fait signe de le suivre. Elle sort de la voiture et voit l'athlète se diriger vers le Hummer.

— C’est à toi, ce tank ? s’indigne Annie.

— Il est chouette, non ? C’est Pétroles Canada qui me le loue. Et mon essence est gratuite. Il faut bien que ça paie un peu de faire un job dangereux.

Annie serre les mâchoires pour être sûre de retenir la réplique cinglante qui lui brûle la langue. Au fond, qui est-elle pour faire la morale aux autres ?

— Attends, je vais t’aider, lui dit-il avant qu’elle ne grimpe dans le monstre à quatre roues. Il la prend par les épaules et l’immobilise, face à lui.

— Tu me fais confiance ? demande-t-il en plongeant son regard dans celui de la jeune femme.

Avant qu’elle n’ait pu répondre, il lui bande les yeux avec un foulard de soie et la guide vers le marchepied du véhicule. Annie proteste et enlève le bandeau :

— Eh ! Je déteste ne rien voir. Ce bandeau me rappelle trop une enquête qui a failli mal tourner.

— Excuse-moi, Annie, je ne le savais pas. Promets-moi seulement de ne pas regarder jusqu’à notre arrivée à destination.

— Ce sera long ?

— Sois patiente, grande Annie.

Le reste du trajet se fait en silence. La policière, les yeux clos, doit se cramponner à son siège alors que le Hummer négocie d'abrupts virages en lacets. Lorsque la voiture s'immobilise enfin, la jeune femme pousse un soupir de soulagement. Jeffrey lui remet un des sacs de sport.

— On est maintenant dans mon univers, celui des gamins fous en collants moulants qui jouent encore avec leur traîne sauvage. Tu vas dans ce bâtiment, au vestiaire des dames, et tu enfiles le tout, casque compris. Fais attention de bien cacher tes cheveux à l'intérieur et, surtout, ne discute avec personne. Si on t'aborde, fais semblant de t'appeler Max. Ce qu'on s'apprête à faire pourrait me coûter très cher, alors il ne faut pas que ça se sache. Peter, le gars que tu vois sur la passerelle vitrée, est dans le coup. Ne t'inquiète pas, c'est un vieux copain.

Annie ouvre la bouche pour protester. Jeff lui pose un doigt sur les lèvres.

— Non, je te dirai quand tu pourras parler. Fais vite, notre départ est prévu dans cinq petites minutes.

Et il abandonne Annie, estomaquée, sur le marchepied du Hummer. La jeune femme examine le bâtiment officiel qui sert de départ au bobsleigh, à la luge et au skeleton, ce minuscule toboggan sur lequel les athlètes s'allongent pour descendre les pieds devant. Sur la passerelle vitrée, au-dessus de la zone des départs, Jeffrey est en train de parler à son ami tout en lui remettant ses clés. Alors qu'Annie vient d'atteindre la porte marquée *Personnel et athlètes seulement*, le Hummer démarre dans son dos. Elle se retourne et voit Peter se glisser au volant, en affichant un sourire béat. *Ah ! les gars*, pense-t-elle, *tous pareils ! Tous prêts à abandonner leur poste contre un gros moteur sous le capot.*

Elle se dirige vers le vestiaire des dames, heureusement désert. En ouvrant le sac, elle y découvre un casque, une combinaison au nom de Maxim Lehoux et une paire de chaussures à crampons, d'au moins deux pointures trop grandes. Elle se demande combien Jeffrey a dû payer Maxim pour obtenir ce matériel… *Je ne peux pas croire que je vais mettre ça !* Elle endosse la combinaison en rigolant. *J'ai l'impression d'enfiler mon pyjama d'hiver.* Annie chausse

ensuite les souliers et met le casque, après avoir attaché ses cheveux avec un élastique. Elle se regarde dans le miroir en pouffant de rire, jusqu'à ce que Jeffrey cogne à la porte.

— Tu es prête ?

— Enfin… Jeff, c'est de la folie que de me faire porter ça.

Elle sort du vestiaire et sursaute lorsque le flash de l'appareil photo illumine le corridor. Jeffrey a également revêtu sa tenue de descente, à la différence que la sienne moule très bien toutes les parties de son corps, surtout les muscles de ses jambes et de ses bras.

— Wow ! Tes combines te vont à la perfection. Maintenant que j'ai vu ton univers de gars en collants et que tu as pris une photo pour la postérité, je peux me changer ?

Au sourire qui se dessine sur les lèvres du jeune homme, elle comprend aussitôt.

— Oh non ! Ce n'est pas vrai. Oublie ça : tu ne me feras jamais descendre dans ton bobsleigh.

— Plus qu'une minute avant le départ, annonce Jeff comme s'il parlait dans un

microphone. Les concurrents Hardy-Jobin sont priés de se présenter à la zone de lancement.

Annie suit Jeffrey en secouant la tête. Après avoir franchi quelques portes, ils arrivent devant un magnifique bobsleigh rouge et argenté marqué au nom de Hardy-Lehoux. Le logo du commanditaire principal, Pétroles Canada, cache presque le drapeau canadien.

Jeffrey s'installe sur un minuscule siège garni d'une mince couche de rembourrage. Au niveau des cuisses et des genoux, quelques morceaux de mousse bleue, retenus par du ruban adhésif, recouvrent les pièces du bob sur lesquelles les athlètes risquent de se blesser. Jeff allonge les jambes et teste ses pédales. Annie s'inquiète :

— Tu veux vraiment que je coure sur la glace pour pousser ton engin ?

— Si je te laissais faire ça, tu risquerais d'oublier d'embarquer. On va juste lui donner un petit élan, puis tu t'assoiras derrière moi. La force de gravité fera le reste. Ça donnera une balade un peu moins rapide, mais bon… À la fin, quand je te le

dirai, tu devras tirer sur cette poignée devant toi. Elle actionne les freins.

— Qu'est-ce que ça signifie : un peu moins rapide ?

— En conditions normales, on atteint 80 à 100 km/h après 250 mètres. Puis la vitesse augmente pour atteindre 140 km/h. Le trajet se fait sur une distance de 1,6 km, avec des virages pouvant atteindre une force de gravité de 5G. Agrippe-toi solidement à moi, grande Annie, ouvre bien les yeux, tu vas vivre les 60 secondes les plus effrayantes de ta vie !

La piste glacée paraît sans ombre ni reflet sous l'éclairage artificiel. Elle se profile comme un demi-tunnel jusqu'à un premier virage où on la perd de vue. Le bob se met à glisser tout doucement et Annie murmure à l'oreille de Jeff :

— Oooooouuuu ! J'ai peur !

— Ricane autant que tu veux, on en reparlera à l'arrivée.

Le bobsleigh amorce le premier virage, puis accélère dans une pente dure. Le chuintement des patins sur la glace est amplifié par le tunnel dans lequel l'équipage s'engouffre. Le bob prend toujours de la vitesse

et Annie ne peut retenir un petit cri lorsqu'il aborde un second virage très prononcé. Jeffrey essaie de maintenir le bolide dans la ligne de course idéale. Le duo est ballotté sans ménagement contre les parois du bob et Annie resserre inconsciemment son étreinte sur Jeff, dont les muscles sont tendus par l'effort. Un panneau indique la vitesse au premier tiers du parcours : 85 km/h. Une combinaison de virages et de droits les mène dans la partie la plus difficile et Annie serre les mâchoires en luttant contre la force gravitationnelle. Quand la pression diminue un peu, le bolide file à 125 km/h et Annie laisse s'échapper un long hurlement qui fait sourire le pilote. Un dernier virage et c'est presque fini…

— Freine, Annie, maintenant !

La jeune femme prend une ou deux secondes avant de comprendre ce que Jeffrey attend d'elle. L'ordre revient, plus insistant :

— Freine !

Elle se détache soudain du dos de l'athlète et trouve la poignée sous ses jambes. Elle s'y accroche comme si son existence en dépendait. Aussitôt, l'engin perd de la vitesse en remontant une légère pente. Lorsque le bob s'immobilise à l'extrémité de la piste, Annie a toujours les mains crispées sur la poignée. Au bout de quelques secondes, la jeune femme semble revenir sur terre et murmure :

— Plus jamais je ne te traiterai de gamin en collants moulants. C'est l'expérience la plus délirante et la plus effrayante que j'aie vécue !

— Moi aussi j'ai eu peur… que tu ne freines jamais, s'esclaffe le bobbeur en désignant du menton le nez du bob presque collé sur la clôture en fin de piste. Je ne voudrais pas te presser, mais on doit libérer le secteur immédiatement si on ne veut pas se faire prendre. Ça pourrait me coûter ma participation aux Jeux, si ça se savait.

— Tu n'aurais pas dû, Jeffrey.

— As-tu apprécié ?

— Bien sûr, mais…

— Alors, c'est tout ce qui compte.

Avec l'aide de Peter, le bobsleigh a repris sa place dans le parc fermé, au départ de la piste. Lorsque Jeffrey et Annie se retrouvent dans le stationnement, devant le Hummer, la jeune femme se blottit dans les bras de son ancien copain. Ensuite, elle se détache et le regarde dans les yeux, incertaine de la suite à donner à cette étreinte.

— Merci de m'avoir fait vivre ces sensations. Tu m'as fait comprendre bien des choses et…

— Je dois partir, Annie, coupe Jeff en reculant.

— Déjà ?

— Je m'entraîne de bonne heure demain matin.

Puis en sortant des billets de son manteau :

— Tiens, tu les as bien mérités. C'est pour la compétition de dimanche. Si je me classe samedi, bien sûr. Sinon, on regardera les épreuves ensemble…

— Tu vas te classer, Jeff, j'ai confiance. Je vais penser à toi.

Jeffrey sourit mystérieusement avant de disparaître dans son véhicule. Annie reste appuyée contre sa propre voiture, pensive.

La buée qui sort de sa bouche s'envole en volutes dans l'air piquant. La montagne est silencieuse, seules quelques notes de musique s'échappent de la place centrale de Whistler où l'animation dure depuis le début de la nuit. Le brusque départ de Jeffrey laisse à la jeune femme une étrange sensation au creux de l'estomac. *C'est mieux ainsi*, se gronde-t-elle.

Dans la chambre qu'ils partagent au village olympique, le ton monte entre Jeffrey et Maxim, les deux équipiers de bobsleigh.

— Maxim, calme-toi. Ce n'est pas ce que tu penses.

— Ah non ? Tu prêtes, sans ma permission, mon matériel à une fille, tu utilises le bob et la piste alors que tu sais très bien qu'on pourrait être exclus de la compétition à cause de cette connerie. Et qu'est-ce qu'elle fait dans la vie, ta poule ? Journaliste ?

— Elle est policière et travaille ici en tant que maître-chien pour la détection des explosifs et des armes.

— Tu es stupide, ou quoi ? Unc policière. Emmène-la visiter l'appartement, au point où tu en es.

— C'est mon ancienne copine, je n'ai rien à craindre d'elle. Je m'amuse, c'est tout.

— N'empêche, je ne veux pas la voir rappliquer ici, tu as compris, *macho man* ?

— Tu paniques pour rien, Max.

— Non, pas pour rien. Figure-toi que je ne tiens pas à vieillir en prison, c'est tout !

— Hé ! Max, sais-tu quoi ? Cette petite jobine crasseuse, c'est toi qui l'as choisie. Tu ne peux pas avoir le beurre et l'argent du beurre. Moi, je n'ai rien à me reprocher.

Maxim sort en claquant la porte. En passant dans le salon, il croise le regard interrogateur de Steve.

— Ça va, Maxim ?

— Je ne sais pas pourquoi, mais je ne te fais pas confiance, à toi non plus, murmure-t-il entre ses dents. T'es juste… trop là.

⮷

Le cellulaire de Steve sonne. C'est Katiana, la déléguée russe.

— Salut, Steve.

— Ah ! Katiana, as-tu fait la traduction ? Qu'est-ce que ça dit ?

— C'est plutôt intéressant. Il a écrit : « Ça ne vaut pas la peine. Il ne faut pas qu'il y en ait d'autres comme moi. »

— « Il ne faut pas qu'il y en ait d'autres comme moi », répète Steve. Tu crois que son cancer a quelque chose à voir… avec ce Klemens ?

— Klemens est le médecin de l'équipe polonaise. Je n'ai pas trouvé d'histoire tordue à mettre sur son compte. Aucun des athlètes dont il s'est occupé durant les quinze dernières années n'a été déclaré positif à un test antidopage. Pas de gros succès sportifs non plus, mais suffisamment pour qu'il présente cinq athlètes aux Jeux d'hiver. Aleksander était sa plus grosse pointure en biathlon, classé quinzième au monde. À part ça, Biernat dirige une petite clinique à Cracovie.

— Tu lui as donné le message ? Comment a-t-il réagi ?

— C'est là que ça devient captivant. Quand je lui ai parlé d'Aleksander, il s'est senti obligé de m'expliquer qu'il connaît

au moins vingt Alek, que c'est un prénom très populaire en Pologne.

— Tout de même ! proteste Steve. J'espère que les cinq athlètes qu'il soigne ne portent pas tous le même prénom...

— Attends, ce n'est pas tout. J'ai fait semblant de ne pas me rappeler le nom de famille d'Aleksander. Ensuite, je lui ai mentionné le cancer d'Alek. Il s'est animé tout d'un coup. Il s'est mis à parler de la famille Vojtech, de la grand-mère décédée d'un cancer du côlon, de l'oncle qui a succombé à un cancer du pancréas. Il m'a expliqué qu'Alek était jeune pour être atteint, que c'était attristant, mais pas du tout surprenant considérant sa lourde hérédité. Puis, je me suis fait passer pour la messagère de quelqu'un qui avait visité Vojtech à l'hôpital, mais qui ne s'était pas nommé, et je lui ai donné le message d'Aleksander. En le lisant, il est demeuré impassible, puis il a mis le feuillet dans sa poche. Il a seulement dit « merci ». Reste que, lorsque je lui ai serré la main avant de le quitter, elle était complètement moite et tremblait, très légèrement. Surveille tes arrières, Katiana.

— Klemens a l'air plutôt inoffensif. Et j'ai fait celle qui ne sait rien, un simple intermédiaire.

— On est sur une piste, j'en suis sûr. Mais sois prudente, on ne sait pas dans quoi on s'embarque.

— Hé ! Tu oublies que je suis agent secret dans mon pays. Comme tous les Russes ! blague-t-elle avec un rire cristallin. Je te tiens au courant.

Aussitôt que Steve raccroche, un texto s'affiche sur l'écran de son téléphone :

« Analyse de l'échantillon de Vojtech : acétaminophène. Merci quand même. Martin »

Chapitre 12

Médecine dure

Klemens Biernat, le médecin de l'équipe polonaise, tourne en rond dans le stationnement des résidences olympiques, désert à cette heure. Il écrase nerveusement sa cigarette dans la neige et se décide à composer le numéro.

— Tomasz, c'est Klemens. On a des ennuis.

— Suffisamment pour que tu me déranges durant ma séance de massage ?

— Je ne serais pas dehors en train de me geler les fesses par moins 20 degrés si ce n'était pas le cas. C'est très grave.

Klemens entend son correspondant chuchoter quelques paroles à la masseuse, puis lui revenir.

— Alors ? demande Tomasz avec impatience.

— Vojtech me cause des problèmes.

— C'est ton gars qui a le cancer, ça? Comment as-tu fait pour ne rien voir? C'est toi son médecin, non?

— Je soigne des sportifs, pas des gens malades, plaide Klemens sèchement. Il n'avait aucun symptôme avant les Jeux. Il a passé quantité de tests, mais ce n'est pas ça qu'on surveillait...

— Revenons au problème.

— Il a écrit un message qu'il m'a fait transmettre par un homme qu'il a vu à l'hôpital et qui l'a remis à une déléguée.

— Et que disait Vojtech dans son message?

— « Ça ne vaut pas la peine. Il ne faut pas qu'il y en ait d'autres comme moi. »

— La déléguée a-t-elle lu cette note?

— Elle comprend la langue. Nous avons échangé deux ou trois mots en polonais.

— Mais a-t-elle compris le sens de la phrase?

— C'est évident, non? s'impatiente Klemens.

— Quelqu'un peut-il faire le rapprochement entre le cancer d'Alek et son *traitement*?

— En cherchant dans la bonne direction, sûrement.

— On a toujours l'argument de l'hérédité. Tu as vu Vojtech depuis son hospitalisation ?

— Non, je voulais te joindre avant.

— Va le voir. Fais-le parler.

— Il est très malade, proteste Klemens.

— Tu as le droit de voir ton patient et de converser un peu avec lui. S'il s'avère qu'il a vraiment balancé la sauce, débarrasse-t'en.

— Mais comment ?

— À toi de me le dire, tu es le médecin.

Klemens soupire longuement.

— Et la déléguée ?

— Je m'en occupe. Envoie-moi sa photo, je mets un contrat sur elle. Mais il faudra détourner l'attention des médias..., murmure l'homme, comme pour lui-même.

— Est-ce vraiment nécessaire, tout ça ?

— Tu veux pourrir en tôle, peut-être ? Moi non. Fais disparaître toutes les preuves afin qu'on ne puisse pas remonter jusqu'à nous. Et vérifie qu'on ne fasse pas de prélèvements, pas d'autopsie, rien.

— Je déteste ce que tu me demandes de faire. Je voulais seulement que mes gars soient à la hauteur des autres athlètes, pas avoir des cadavres sur les bras…

— Tes autres protégés ne vont-ils pas bien ? J'ai su que Jerzy et Piotr s'étaient classés, l'un au slalom géant, l'autre au combiné nordique. Tu devrais te considérer comme comblé. Alors, arrête de te plaindre et secoue-toi !

Le silence au bout du fil… Puis le clic. Fin de la communication.

Toute la nuit, Annie dort d'un sommeil agité. Elle revit sans cesse la descente en bobsleigh. La foudroyante vitesse. Les accélérations à couper le souffle. Le contact rassurant du corps athlétique de Jeffrey… Puis, le départ aussi précipité qu'inexpliqué de ce dernier. Vers la fin de la nuit, les rêves d'Annie prennent une autre tournure et le couple reste ensemble…

Au réveil, la jeune femme est d'une humeur massacrante. Furieuse contre elle-

même. Elle voudrait se serrer contre Steve comme elle en a l'habitude en se levant tous les matins. Elle ressent le besoin de se prouver à elle-même que ses scénarios nocturnes ne traduisent aucun désir inconscient. Mais Steve n'est pas là, dans ce si petit lit où le souvenir de Jeffrey occupe trop de place. Écœurée, Annie va prendre une douche froide dans la salle de bain commune de la résidence. En sortant, elle croise Malcolm, son colocataire qui, bloquant tout le corridor de son corps massif, la contemple d'un air gourmand.

— Bon matin, Annie.

— Excuse-moi, Malcolm, je suis pressée.

— Même pas de temps pour un petit bonjour ?

— *Bonjour*, Malcolm, dit Annie en se forçant à la politesse. Je dois vite sortir Daf-nez. À moins que tu ne préfères ramasser toi-même ses petits besoins ?

Le gardien de sécurité s'écarte du chemin en lançant un regard noir à la jeune femme si désirable...

À l'hôpital, le lendemain matin, Klemens Biernat se dirige vers la chambre d'Aleksander Vojtech.

— Salut, Alek, dit-il d'une voix exagérément joyeuse. Je vois qu'ils t'ont mis dans une belle chambre privée. Tu n'as pas eu beaucoup de visite, poursuit-il en constatant l'absence de fleurs. Oh ! C'est ton fils qui t'a envoyé ce toutou ? Mignon ! Quel âge a-t-il maintenant ? Neuf ans ? C'est ça ?

Le malade, les yeux bordés de profonds cernes, ne répond pas. Son visage reste de marbre, mais il serre les poings au moment où Klemens prend la photo qui accompagne le présent de Jorick.

— Tu connais sans doute la raison de ma présence ici, n'est-ce pas ? continue-t-il, l'air grave.

Le regard d'Alek s'affole un instant, mais il ne desserre pas les mâchoires. Klemens s'approche, plus menaçant.

— À qui as-tu parlé ?

Devant le mutisme de son ancien protégé, le médecin pousse un soupir et ajoute :

— Tu me déçois, Alek... Après tout ce que j'ai fait pour toi...

Des éclairs d'indignation passent dans les yeux de l'athlète. Klemens s'approche encore et poursuit son monologue paternaliste :

— Lorsque je t'ai pris sous mon aile, j'ai fait de toi un homme, un frère, un fils. Je t'ai soigné, je t'ai nourri, je t'ai aidé lorsque tes fins de mois étaient difficiles. Tu es devenu aussi important que mes propres enfants. Bien peu d'athlètes ont reçu autant de leur médecin. Qu'ai-je demandé en retour ? Ton honnêteté et ta loyauté. Et tu oses me faire un affront pareil ? Tu parles à de vulgaires inconnus, tu dévoiles nos secrets de famille. Tu brises la confiance que j'avais en toi ? Comment peux-tu faire une telle chose ?

— Tu m'assassines, déclare Alek, d'une voix blanche. Depuis trois ans, tu te sers de moi comme d'un cobaye, tu m'injectes des produits que tu testes sur mon corps et celui des plus jeunes membres de la délégation. Je meurs à cause de toi. Attends-tu que Piotr et Jerzy meurent aussi avant d'arrêter ? Et on devrait te dire merci pour ça ?

— Tu meurs à cause de ton cancer, comme ton oncle et ta grand-mère.

— Mon oncle est mort à soixante-cinq ans, ma grand-mère à soixante-dix. J'en ai seulement trente, lance le malade désespéré.

— À qui as-tu parlé ? demande encore Klemens, en martelant chaque mot.

Aleksander détourne son visage vers le mur.

— Pourquoi t'obstines-tu ? Ta femme et ton fils pourraient en pâtir... Jorick, c'est bien comme ça qu'il s'appelle ? Il est si mignon sur sa photo d'écolier. Et ta femme, Aliss. Elle se remettra de ta mort, mais pourrait-elle guérir de celle de votre fils ? Sûrement pas.

Pendant quelques secondes, Alek dévisage Klemens sans comprendre. Puis un gémissement sort de sa gorge serrée par l'horreur.

— Salaud ! Si tu touches à un cheveu de mon garçon...

— Quoi ? Quoi ? Tu vas m'intenter un procès ? Tu es déjà mort, Alek. Mais eux, non. Laisse-les poursuivre leur vie sans avoir à supporter le déshonneur d'avoir eu un mari et un père tricheur. Tu auras de belles funérailles, tu seras un héros national,

fauché dans la fleur de l'âge. Et ta femme et ton enfant pourront pleurer sur ta tombe…

Anéanti, Aleksander Vojtech s'enfonce profondément dans le lit. En contenant sa rage, il dresse le portrait approximatif de son messager, un inconnu l'ayant secouru au bar.

Sceptique, Klemens caresse du doigt la photo de Jorick.

— Qu'est-ce qu'il faisait à l'hôpital ?

— Il voulait me rendre la boîte de pilules.

— Où est-elle ?

— Elle était vide, ment le malade en fermant les yeux. Je l'ai jetée…

— Est-ce un journaliste ? Quelqu'un de l'AMA ?

— Je ne crois pas. Écoute, Klemens, je ne sais rien de plus. Je ne pourrais même pas le reconnaître s'il entrait ici. J'étais sous l'effet des sédatifs. Demande à mon entraîneur, Marek. Il était au bar avec moi.

— J'espère que tu ne me caches rien, Vojtech…

Puis le ton du médecin se radoucit devant l'air sincère de l'athlète.

— L'infirmière m'a dit de te donner ton calmant après notre discussion. Je suis encore ton médecin, après tout…

Tout en parlant, Klemens s'approche du côté du lit. Vivement, il décroche la sonnette d'appel et la pousse hors d'atteinte avant d'injecter un liquide directement dans le tube du soluté branché dans le bras du malade. En quelques secondes, la respiration d'Alek s'approfondit et ses paupières tombent.

— Tu rentres au pays aujourd'hui… Dis bonjour à ta femme et à ton fils de ma part.

Après avoir constaté l'effet du sédatif, le médecin pose une main sur la bouche d'Alek et, de l'autre, il s'appuie de tout son poids à la hauteur du foie cancéreux de l'athlète déchu.

— Bon voyage, Alek…

Quand son cellulaire sonne, Annie vient à peine d'arriver à la guérite d'entrée du Parc olympique de Whistler, site des épreuves de saut à ski où elle doit travailler

toute la journée. *Qui peut bien me déranger durant mon palpitant travail ?* pense Annie en prenant son téléphone. Reconnaissant la combinaison de chiffres affichée sur l'écran de son portable, la jeune femme sourit victorieusement :

— Enfin de l'action ! Un code rouge !

Le code rouge signifie que, pour des raisons de sécurité, tous les agents doivent retourner à leur base afin d'y recevoir des instructions particulières. Pour Annie qui vient de franchir vingt kilomètres de route enneigée vers le Parc olympique, cela signifie également : grouille ! Elle ne veut surtout pas arriver la dernière et recevoir les affectations restantes. Elle remercie mentalement celui qui a eu l'idée brillante d'équiper ses pneus de chaînes. Après avoir jeté un œil à ses rétroviseurs et à son angle mort, Annie ralentit à peine et effectue un demi-tour en dérapage contrôlé sur la neige. Elle accélère ensuite pour atteindre une bonne vitesse, heureuse d'avoir appris à conduire sur la glace à l'École de police de Nicolet.

Installée dans le compartiment arrière aménagé pour elle, Daf-nez est déstabilisée par le changement de direction. Elle pousse

un aboiement surpris. La policière éclate de rire et dit :

— T'inquiète pas, ma belle Daf-nez, on va certainement s'amuser beaucoup plus aujourd'hui. Tu es fatiguée, toi aussi, de sentir quotidiennement des milliers de touristes, hein ? Les petits pieds pas frais, les parfums bon marché, les manteaux d'hiver empestant la boule à mites… Je les sens et je n'ai pas ton odorat, alors j'imagine que ça doit être bien pire pour toi…

Lorsqu'elle arrive au quartier général, les autres agents ont déjà regagné leur voiture.

— Zut ! J'ai tout manqué, déplore-t-elle en courant vers l'entrée, Daf-nez sur les talons.

— Jobin, lui lance Andrews, son responsable. Tu m'accompagnes.

— Où va-t-on ? s'enquiert Annie en s'installant avec sa chienne dans le quatre-quatre de son supérieur.

— Au village olympique, secteur 3. On a une alerte à la bombe !

Chapitre 13

L'envers de la médaille

— Une alerte à la bombe? Ici, à Whistler? s'exclame Annie, l'estomac noué, sachant que Steve est justement affecté au secteur 3, regroupant les résidences des délégations américaines et canadiennes.

— Pourquoi pas? Il suffit de rassembler des nations ennemies et des individus de confessions diverses pour générer un terreau à conflits. Sans compter les altermondialistes[18]. Aujourd'hui, tout rassemblement international d'envergure est bon pour tenter un coup d'éclat. Mais il est fort probable que ce ne soit qu'une fausse alerte manigancée par un groupe anti-olympique. Depuis que Vancouver a posé sa candidature

18. Partisans d'un mouvement d'opposition à la mondialisation économique.

en vue d'obtenir les Jeux, en 2003, ces groupes ne cessent d'organiser des activités de protestation. Ils veulent intéresser les médias à leur cause…

— Pourtant, il me semble que toutes les villes d'importance rêvent d'héberger les Jeux. Les retombées économiques et politiques doivent être immenses.

— Économiques, absolument pas. Ces jeux-ci vont coûter au bas mot six milliards de dollars. N'oublie pas que le stade olympique de Montréal n'a été payé que plus de trente ans après les Olympiques. Et même si les Jeux actuels sont les plus « verts » de l'histoire, il n'en reste pas moins que toutes les constructions, l'autoroute, les bâtiments et les installations qu'ils nécessitent ont coûté très cher à l'environnement. Le coût social est encore plus élevé. On sait, par exemple, que le prix des logements est honteusement inabordable à Vancouver. Or, pour soigner l'image du centre-ville, les organisateurs des Jeux en ont chassé les itinérants, sans se soucier de leur trouver des refuges. Les sans-abris se sont donc regroupés dans le Downtown Eastside où tu peux les voir, été comme hiver, couchés par

centaines dans les rues. Je ne te raconte pas les problèmes d'alcoolisme, de toxicomanie, de santé mentale, de sida, d'hépatite C… Ajoute à ça la criminalité et la prostitution. Savais-tu que Vancouver est considérée comme une des trois villes au monde où la qualité de vie est à son meilleur ? On se demande pour qui ! Quand on pense que les logements qu'occupent actuellement les athlètes seront revendus jusqu'à quatre millions de dollars pour un simple condominium de quatre chambres… Beaucoup de gens sont en rogne et c'est facile à comprendre.

— À Montréal, au moins, ils ont transformé le village olympique en habitations à loyers modiques, déclare Annie, pensive. Mais quatre millions de dollars… Qui peut se permettre ça ?

— Ici, un logis se paie de génération en génération. Imagine : tu achètes un condo et c'est ton arrière-petit-fils qui va finir de le payer…

Annie a du mal à y croire.

— Ouf ! Je préfère encore ma petite ville de Sherbrooke. Ce n'est pas aussi beau que Vancouver, mais au moins on y vit aisément.

Si on revenait à l'alerte d'aujourd'hui... Et si c'était une diversion ? J'ai dû quitter mon poste auprès du public pour te rejoindre. Quelqu'un de mal intentionné pourrait en profiter pour se faufiler sur un site olympique avec des armes...

— Douze mille cinq cents personnes assurent la sécurité de ces Jeux. Parmi elles il y a l'armée, que tu ne verras qu'en cas d'extrême nécessité. Les militaires ont établi leurs campements dans les bois ou en montagne. Ils sont prêts à intervenir, s'il le faut. Tous les scénarios ont été prévus... Enfin, nous l'espérons, ajoute Andrews en se garant devant un bâtiment du secteur 3.

La présence de journalistes se disputant le meilleur angle pour filmer les athlètes entrant dans les autobus lui arrache un grognement. Il soupire, puis commande à Annie :

— Jobin, tu scrutes à la loupe cette résidence avec ton chien. Et surtout aucun commentaire aux médias.

Sur le perron de l'immeuble des athlètes canadiens se tient un jeune homme à l'allure familière.

— Salut, Jeff ! Heureuse de te revoir.

— Hé ! Annie ! s'exclame l'homme en la prenant chaleureusement dans ses bras. Comment vas-tu depuis notre petite virée ?

— Bien ! Et toi, tes qualifications, ça a été ?

— Une quatrième place. Ça augure plutôt bien pour la finale d'aujourd'hui. Tu viens toujours ?

— Oh non ! se désole la jeune femme. Je ne pourrai pas y assister. Je devais finir à midi, mais avec l'alerte, ça change tout. Je m'excuse. Je penserai à toi et t'enverrai de bonnes ondes. Tu ne vas pas avec les autres ? demande-t-elle en pointant l'index vers les autobus.

— J'attends Maxim. C'est toi qui inspectes ce bâtiment ? Bonne chance, il y a des chaussettes qui traînent partout !

— Le grand Jeff en collants moulants s'est encore laissé aller ? le taquine Annie en s'approchant pour enlever un poil de Daf-nez sur le manteau de l'athlète.

— Tu avais promis que tu ne ferais plus allusion à mes collants, roucoule Jeffrey en prenant la policière par la taille. C'est notre secret, n'oublie pas.

Sur l'entrefaite apparaît Maxim Lehoux, suivi par… Steve Garneau. Annie émet un hoquet de surprise et s'éloigne de Jeff.

— Il me semblait bien que je reconnaissais cette voix, dit Steve en souriant au couple. Le bâtiment est vide, vous pouvez l'inspecter, madame Jobin.

Le sourire du jeune homme jure avec l'expression de ses yeux. Visiblement, Steve est à la fois surpris de croiser Annie en ces lieux et déchiré de la voir en aussi « intime » compagnie.

— Hardy, tu viens ! ordonne Maxim en réajustant son lourd sac de sport sur son épaule. L'autobus nous attend.

Alors que Jeffrey ramasse ses propres affaires, Maxim lance un regard haineux à Annie. Steve l'intercepte, mais ne peut en expliquer la cause. Les deux athlètes s'éloignent. Au passage de Maxim, Daf-nez lève le nez et hume l'air avec attention. Elle gémit, puis s'assoit.

— Ça va, toi ? demande Annie à Steve, embarrassée.

— Si on veut, répond-il, évasif.

— On se voit ce soir ? J'aimerais beaucoup, propose doucement la jeune femme en prenant la main de son amoureux.

Steve retire vivement sa propre main. Il approche son visage de celui d'Annie. D'une voix sans timbre il murmure :

— Tu n'as pas rendez-vous avec lui, encore ce soir ? Il n'a pas arrêté de se vanter de ses prouesses de « gamin en collants moulants »...

Annie rougit brusquement.

— Quoi ? Mais il ne s'est rien passé entre lui et moi.

— Es-tu aveugle à ce point ? C'est Don Juan en lycra, ton Jeff. Lui as-tu expliqué que tu as déjà quelqu'un dans ta vie ? Ou bien l'as-tu oublié ? crache-t-il en désignant du doigt le solitaire que la jeune femme porte à l'annulaire gauche.

— Steve, comment peux-tu... ? s'étouffe Annie. Tu es complètement à côté de la plaque ! Maintenant, laisse-moi passer, j'ai du travail.

Furieuse, Annie disparaît dans la résidence, traînant Daf-nez derrière elle. Steve ferme les paupières, ne sachant pas à quelle émotion se laisser aller. La colère ou le désespoir. La frustration ou l'amertume. Il rejoint l'autobus et s'assoit sur une banquette à l'avant, se forçant à se composer un visage aimable, digne de sa fonction de délégué.

⮱

À la une du journal *Vancouver Sun*: «Alerte à la bombe au village olympique de Whistler». Dans les pages suivantes figurent des photos ainsi que des interviews avec les athlètes, les parents d'athlètes, monsieur et madame Tout-le-Monde, les responsables de la sécurité, etc. Tous ont leurs théories sur les responsables de la chose… Bien sûr, les journalistes remplissent également des lignes en passant en revue toutes les alertes à la bombe des années passées et surtout celles, nombreuses, qui ont suivi les attentats du 11 septembre 2001.

Un article fait toutefois sourire Annie. «Les compétiteurs des chiens renifleurs ne font pas bonne figure». Selon l'article, des

abeilles détectrices d'explosifs auraient été utilisées pour la première fois dans une situation d'alerte à la bombe. Toutefois, elles auraient été rapidement mises à la retraite pour avoir entraîné les enquêteurs sur d'innombrables fausses pistes…

Au bout du compte, pense Annie, *les médias n'ont rien trouvé de bien important à dire, sinon que les équipes canines ont fouillé jusqu'aux petites heures du matin sans rien découvrir d'autre qu'un sac de papier contenant quelques fils dans une poubelle du secteur 3 et que les athlètes, fatigués, ont finalement pu réintégrer leurs logements, mais que leurs performances aux épreuves sportives à venir vont sans doute s'en ressentir.*

Dans les cahiers suivants, Annie s'attarde aux entrefilets remplis de courtes nouvelles sans importance. Annie les lit pour tuer le temps et sa rancune à la suite de sa querelle idiote avec Steve. La rubrique nécrologique la fait sourciller. On y annonce la mort d'Aleksander Vojtech, biathlète polonais, durant son transfert médical vers Cracovie, en Pologne. Il serait décédé d'un cancer du foie, diagnostiqué en phase terminale, à

Vancouver. Le communiqué se termine par un court message de la communauté olympique exprimant ses condoléances à la famille Vojtech. La photo de l'athlète est de mauvaise qualité, mais Annie, fascinée, est incapable d'en détacher les yeux.

— Aleksander Vojtech... C'est toi, ça... Le gars à la tache de ketchup. Celui qui m'a fait passer pour une belle dinde à l'aéroport de Montréal. « Votre chien aimer ketchup ? » Oui, toi en avoir trop mangé, peut-être ? Comment fait-on pour se rendre aux Olympiques alors qu'on souffre d'un cancer en phase terminale ? L'ignorance, l'habitude de négliger les cris d'alarme du corps, cette volonté de gagner à tout prix... Pauvre gars, quand même, et pauvre famille...

Steve est assis dans le salon de la délégation américaine. Il évite la délégation canadienne comme la peste depuis la veille, de peur d'entendre de nouveau Jeffrey et de perdre contenance. Il lit le journal du matin en buvant son café refroidi. Il s'étouffe en voyant la photo d'Aleksander.

— Merde alors ! Ce n'est pas vrai ?

Aussitôt, il attrape son manteau et sort pour téléphoner d'un endroit discret. Il joint bientôt Martin Lescot, son contact à l'AMA.

— Hé, tu as vu la nouvelle ?

— L'alerte à la bombe ? Ils ne parlent que de ça. Ta blonde a dû finir de travailler pas mal tard hier.

— Non, pas l'alerte, grogne Steve, en réprimant un frémissement à l'évocation d'Annie. Regarde la rubrique nécrologique. Vojtech.

Steve entend un froissement de pages, puis quelques secondes de silence s'écoulent avant que son interlocuteur ne réagisse. L'incompréhension altère la voix de ce dernier :

— Nom d'un chien ! Comment a-t-il pu mourir aussi vite ? Son cancer était-il si avancé ? Comment peut-on être à la fois apte à la compétition de haut niveau et mourant ? C'est suspect, non ? O.K., Steve, je m'en occupe. Je communique avec son médecin soignant à l'hôpital et j'exigerai d'avoir les analyses sanguines qu'on m'a refusées la dernière fois. Et je vais tenter de faire autopsier le corps, quitte à ce que j'envoie quelqu'un à Cracovie.

— Euh…, hésite Steve, je m'inquiète pour Katiana.

— Pourquoi ?

— Si la mort de Vojtech n'est pas naturelle… Si elle a été, disons…, accélérée… à cause de ce message que la victime m'a fait transmettre. Si c'est Klemens qui est derrière tout ça, il peut vouloir se débarrasser des preuves… et des messagers. Donc de Katiana.

— Oh ! Steve, relaxe ! On n'est pas dans la mafia ici, ni dans un thriller à l'américaine. C'est juste les Olympiques…

— Mais quand il est question de gros sous, la réalité dépasse parfois la fiction. Et on sait que le dopage implique énormément d'argent. Je pense qu'on devrait demander une enquête sur la mort de Vojtech et déplacer Katiana.

— Déplacer Katiana ? Pourtant, toi aussi, tu fais partie des messagers. Tu aimerais que je te déplace, que j'annule ta mission sous prétexte qu'un gars que tu ne connais ni d'Ève ni d'Adam pourrait te vouloir du mal ? Voyons, Steve !

— Justement, Katiana *connaît* Klemens, elle est entrée en contact avec lui alors qu'il

ne m'a jamais vu. Ce n'est pas pareil.

— Ah ! je vois, c'est parce qu'elle est une femme, susurre ironiquement Martin.

— Non ! rugit Steve, conscient toutefois de sa tendance à vouloir surprotéger ses partenaires féminins. Bon, laisse tomber, Lescot. Je vais m'occuper de la prévenir moi-même.

Le laboratoire antidopage chargé d'effectuer les prélèvements et les tests est débordé. À mi-chemin des Jeux d'hiver, la course aux médailles est bien amorcée. Les athlètes occupant les cinq premières positions de la finale de chaque épreuve sont automatiquement testés. Puis, à ces analyses s'ajoutent des contrôles sur des compétiteurs tirés au hasard. Chaque échantillon est conservé pendant cinq ans, ce qui exige un bon système de stockage, de catalogage et d'archivage.

— Non, c'est hors de question, s'insurge le patron du labo. Je ne peux pas ajouter tous les athlètes tchèques et polonais, surtout si vous ne savez même pas ce que vous cherchez. Demain, ce seront tous les pays

de l'ancien bloc de l'Est que vous me demanderez.

— C'est l'AMA qui l'exige, déclare Martin en essayant de garder son flegme.

— Que l'AMA se trouve un laboratoire indépendant. Ici, on traite les vrais cas, ceux des Olympiques, pas les enquêtes à la « CSI New York ». Vos histoires d'acétaminophène ne m'intéressent pas du tout. Et ne venez pas embêter mes employés, ils font suffisamment d'heures supplémentaires comme ça. Allez, du balai, j'ai du travail !

Martin Lescot sort du laboratoire les oreilles rouges et la pression haute. Il se force à respirer lentement pour se calmer. Pourtant, il n'est pas au bout de ses peines. À l'hôpital général de Vancouver, on lui refuse l'accès aux prélèvements faits sur Vojtech à son arrivée en argumentant que ceux-ci ne seraient testés de nouveau que dans l'éventualité d'une poursuite pour faute professionnelle contre l'institution médicale.

— Si vous m'aviez autorisé à prélever ces échantillons moi-même sur Vojtech lorsque je vous l'ai demandé, on n'en serait pas là. Mais je vous mets en garde. On a

probablement affaire à un cas de dopage criminel et peut-être même à un meurtre. Alors, vous allez nous revoir et vous devrez collaborer ! explose Martin à la face du directeur de l'hôpital.

— Vous et vos sbires de l'agence, vous voyez du dopage partout, rétorque le responsable. Abandonnez donc cette chasse aux sorcières. Si les athlètes veulent absolument s'injecter toutes sortes de cochonneries, laissez-les faire. Eux, au moins, font de l'exercice et ne portent pas leurs abdominaux en bas de la ceinture comme vous ! Et puis, votre Vojtech, il est mort du cancer, pas d'une overdose quelconque. Sortez d'ici, monsieur Lescot, vous me faites perdre mon temps et celui de cet hôpital !

De retour à son bureau, Martin se dit que plus rien ne le surprendra maintenant, ni l'imbécillité ni l'arrogance.

— Enfin, il reste toujours l'autopsie… Ce devrait être une question de routine, vu que le décès s'est produit durant le transfert du patient en avion, donc en territoire canadien.

Après d'interminables minutes passées au téléphone, qui le mènent de l'ambassade

du Canada en Pologne à l'hôpital de Cracovie où a été constaté le décès de Vojtech, il finit par joindre la morgue qui détient le corps. Une boîte vocale lui répond.

— Sainte misère ! J'oubliais le décalage horaire.

Il laisse un message détaillé, trois numéros de téléphone pour le joindre, son adresse électronique et précise que c'est « très urgent ».

La sonnerie s'insinue dans le rêve de Martin. Hébété, il ouvre les yeux, mais ne reconnaît pas l'endroit où il se trouve. *Ah oui ! mon bureau*, pense-t-il en se remémorant les appels et l'attente. Le cadran lumineux de sa montre indique minuit trente. Il empoigne le combiné et s'éclaircit la voix. C'est bien la morgue. Il répète son histoire. Après un moment, Martin est au comble de l'exaspération :

— Comment ça, vous n'avez plus le corps ?... Aux pompes funèbres ! Déjà ? Mais l'autopsie ?... Pas d'autopsie ? Qui a décidé ça ?... La famille ? Faites-la changer d'idée !... Pourquoi ? Parce qu'on a peut-être

affaire à un meurtre, voilà pourquoi ! Et la seule façon de le prouver, c'est d'autopsier la dépouille !

Martin respire profondément, se forçant au calme. Il sent que tout ça lui échappe.

— Non, je ne suis pas policier, non il n'y a pas eu ouverture d'enquête, pas encore… Mais si le corps est incinéré, il sera trop tard. Il faut que vous interveniez, que vous trouviez le moyen de me donner au moins 24 heures… Non, je sais, c'est déjà une épreuve pour la famille… Oui, je comprends… Merci de me tenir au courant.

Martin raccroche et demeure immobile un long moment. Enfin il se ressaisit et prend son manteau pour sortir. Son cellulaire se met à vibrer dans sa poche. Il hésite et décroche.

— Steve ? Qu'est-ce que tu fais debout à cette heure ?

— C'est Katiana. Je l'ai jointe par téléphone plus tôt en soirée, elle devait me rappeler, elle ne l'a pas fait.

— Pourquoi me déranges-tu pour ça ? Elle a probablement oublié. Elle est allée se coucher et…

— Non, Martin, je n'arrive pas à la contacter. Elle devait vérifier quelque chose sur Klemens et m'en informer immédiatement. J'ai appelé à la résidence où elle est assignée et le concierge l'a vue sortir précipitamment. Elle n'est pas revenue et il dit que sa voiture est toujours dans le stationnement. J'ai peur qu'il lui soit arrivé quelque chose…

— Steve, on n'a pas choisi n'importe qui pour ce programme. Elle est capable de se défendre si quelqu'un l'attaque. Tu t'en fais trop. Demain, tu verras tout ça d'un meilleur œil. Moi, je vais dormir.

Steve raccroche, furieux. Non, Katiana ne l'a pas oublié. Ce qu'elle cherchait avait l'air trop important. Elle était surexcitée comme Annie lorsqu'elle flaire une bonne piste… Et Steve a un sixième sens pour reconnaître quand cette piste conduit vers un danger. *Ah ! si au moins Donut était là,* pense le jeune homme. Son compagnon à quatre pattes, son fidèle chien pisteur lui manque soudain terriblement.

Un demi-sourire se dessine sur ses lèvres.

Et pourquoi pas…

Chapitre 14

Katiana

Après un regard surpris à l'afficheur, Annie répond d'une voix hésitante :

— Steve ? Qu'est-ce qu'il y a ?

— Annie, désolé de te réveiller, je sais qu'il est tard, dit Steve anxieux. Une collègue de travail a disparu. J'ai besoin de ton aide pour la retrouver. Penses-tu que Daf-nez saurait nous assister ?

— Attends... Tu vas trop vite. Une collègue de travail ? Quelqu'un comme... toi ?

— Katiana, elle s'occupe des délégations de l'Europe de l'Est. Elle devait me contacter et elle ne l'a pas fait.

— Ah bon ! grommelle Annie, sarcastique. Ça me rappelle quelqu'un... Mais explique-moi : ce n'est pas censé être un travail pépère, ton job de délégué ?

— Ça devait, mais ça s'est compliqué. Je ne t'appellerais pas si ce n'était pas grave.

Stupéfaite, Annie ne répond pas. *Il n'aurait pas appelé… Voilà pourquoi il ne retourne jamais mes appels. Ils ne sont pas assez graves… ou peut-être ne suis-je pas assez importante. Pas autant que Katiana.*

Elle entend Steve soupirer au bout du fil :

— Je m'excuse, j'ai mal formulé ma phrase. Ce que je voulais dire, c'est que je ne t'aurais pas appelée si tard. Alors, tu peux ?

— Pourquoi ne pas demander à la police ? Daf-nez n'est pas entraînée pour ça.

— Tu sais aussi bien que moi que dans les cas de disparition, ils attendent toujours avant de commencer les recherches, à moins que les circonstances ne soient vraiment particulières.

— Si les policiers attendent avant de lancer la cavalerie, ce n'est pas pour rien, réplique Annie, sévère. On ne parle pas ici d'une enfant qui n'est pas rentrée pour le dîner et dont on a retrouvé les chaussures au bord de l'eau…

— Tu as raison… Mais, j'ai tout de même peur, Annie. S'il lui est arrivé quelque chose, c'est entièrement ma faute. Je

t'expliquerai plus tard. Allez, aide-moi. Si Donut avait été ici, je l'aurais choisi, mais j'ai confiance en Daf-nez. Elle est intelligente. Rappelle-toi lorsqu'elle t'a sortie de la trajectoire de la voiture qui avait perdu le contrôle. Et elle trouve toujours sa nourriture, peu importe où tu la caches.

Annie sourit malgré elle. Puis elle cède.

— As-tu un vêtement à lui faire sentir?

Ceci dit, elle chasse de sa tête l'image d'un sous-vêtement en dentelle noire.

— J'essaierai d'en trouver un… dans sa voiture ou dans sa chambre, si je parviens à entrer dans la résidence à cette heure.

— Bon, dans ce cas, j'accepte, mais à une condition. Tu cesses de me faire la gueule et tu m'accordes ta journée de mardi pour qu'on puisse faire quelque chose ensemble. Tu m'as déjà dit que tu serais en congé… Alors?

— Ça fait deux conditions, tente d'ironiser Steve, mal à l'aise.

— Appelle ça des sous-conditions. Elles sont liées. Quelle est ta réponse?

— C'est d'accord. Rejoins-moi au village olympique, secteur 2, stationnement nord. Et… Annie…

— Quoi ?
— Merci.

L'air est froid et humide. Le vent, avivé par son passage dans la vallée, transperce le manteau de Steve et le fait grelotter. Le stationnement compte en tout et pour tout une vingtaine de voitures. En attendant l'arrivée d'Annie, le policier tente d'identifier la voiture de Katiana. Il se dirige vers un modèle semblable à son propre véhicule de location, une Toyota Prius noire avec une plaque Z. Il observe les environs, nullement intéressé à se faire surprendre en train de cambrioler une automobile. Si des agents de sécurité devaient l'interroger, il ne pourrait même pas leur montrer son insigne de policier, l'AMA lui ayant fortement suggéré de ne pas le porter sur lui. Avec une tige extensible qu'il garde toujours dans son portefeuille, il réussit, après quelques essais, à relever le loquet de la porte. Puis il ouvre délicatement la portière, espérant qu'aucun système d'alarme ne se déclenche.

Silence complet.

Après s'être assuré qu'il est bien seul, le jeune homme s'introduit dans la voiture, l'inspecte brièvement, puis ouvre le coffre à gants. Bingo ! Le contrat de location au nom de Katiana Ivanovna Souline s'y trouve. *Maintenant, quelque chose qui porte son odeur*, pense Steve qui, fébrile, fouille sous les sièges et dans le coffre arrière. *Rien… rien de rien. Zut !* Puis, en revenant à l'avant, son nez perçoit un effluve fleuri, très léger. Steve reconnaît aussitôt le parfum de Katiana. Il regarde l'appuie-tête, indécis, se demandant comment procéder sans avoir à déchirer le tissu de recouvrement. Finalement, il retire l'appuie-tête au complet de ses supports et quitte la voiture au moment où Annie se gare. Daf-nez accueille chaleureusement le jeune homme qui retrouve un peu de sa bonne humeur. Mais lorsqu'il s'approche d'Annie, il hésite.

— Euh… Bonsoir, Annie. Merci d'être venue aussi vite.

— Ce n'est rien… entre collègues, dit la policière, aussi hésitante à s'approcher de Steve. Qu'est-ce que tu tiens là ?

— L'odeur de Katiana…, la disparue. C'est tout ce que j'ai trouvé dans sa voiture.

— Tu es certain que c'est bien son odeur.

— Oui, répond-il un peu trop rapidement au goût d'Annie.

— Tiens, mets-le là-dedans, suggère Annie en sortant un grand sac transparent de sa poche. Ça concentrera le parfum et l'empêchera de se dissiper au vent.

— On pourrait croire que tu as fait ça toute ta vie, la complimente Steve, admiratif.

— Quoi, ça?

— Pister des disparus.

— Non, c'est seulement logique. Bon, à toi, maintenant... Si tu considères toujours que Daf-nez peut faire l'affaire.

Steve se penche vers le labrador brun qui lui donne un grand coup de langue affectueux sur la joue. Le jeune homme sourit et caresse un moment l'animal en lui parlant. Puis il prend le sac contenant l'appuie-tête, l'ouvre et le fait sentir à Daf-nez. Même Annie peut détecter les notes florales très féminines qui montent dans l'air et son estomac se serre en pensant à Katiana et Steve...

— Cherche, Daf-nez.

La chienne regarde Steve sans comprendre. Ce commandement lui est habi-

tuellement donné par Annie ou Josiane. Daf-nez s'assoit et griffe le sac.

— C'est ça, Daf-nez. Cherche !

Steve présente plusieurs fois le sac à Daf-nez en répétant le même commandement. Daf-nez attend, le regard inquiet et le museau en l'air.

— Steve, tu vois bien qu'elle n'est pas douée pour ça.

— Fais-le à ma place, Annie, propose le policier. C'est ton chien, après tout. Et chaque maître a ses propres trucs.

Annie se penche et frôle par inadvertance le bras de Steve. Un éclair lui traverse le corps et elle en frémit de surprise. Steve se retourne et la regarde, étonné. Elle baisse les yeux et s'éloigne d'un pas avant de faire sentir de nouveau l'objet à Daf-nez.

— Cherche, ma belle, cherche, dit-elle en indiquant avec sa main où fouiller.

Le labrador, la truffe au sol, commence à flairer les pistes dans la neige. Près des bâtiments, les traces de pas sont nombreuses, puis elles s'estompent graduellement à mesure que le trio s'éloigne du stationnement. Annie quadrille mentalement le terrain et le fouille de façon systématique

avec sa chienne. Steve apprécie visiblement la manœuvre.

— Pourquoi ce regard, Steve ? demande Annie, vexée.

— Rien. Oui, en fait… Considérant vos débuts plutôt houleux, toi et Daf-nez, je n'aurais pas cru que vous y arriveriez. Vous êtes un magnifique binôme.

— Tu connais l'expression : les jours se suivent mais ne se ressemblent pas.

Pendant que Daf-nez cherche, Steve et Annie restent silencieux. Puis Annie respire profondément et pose la question qui lui brûle les lèvres :

— Qu'est-ce qu'il y a entre toi et Katiana ?

— Là, tu m'étonnes, Annie, gronde Steve. C'est plutôt moi qui devrais t'interroger sur Jeffrey. Katiana et moi n'avons jamais eu de rendez-vous secret. Nous n'avons pas fait de descente en bobsleigh. Nous sommes seulement deux collègues faisant le même travail, mais pour des délégations différentes. On s'est vus quelques fois au siège de l'AMA durant la formation et ici. C'est tout.

Piquée, Annie serre les mâchoires pour retenir un commentaire acerbe. Au fond, elle sait que Steve n'a pas complètement tort, même s'il lui prête de fausses intentions.

— Alors, pourquoi es-tu aussi inquiet ? Pourquoi te sens-tu responsable de Katiana ?

Steve laisse échapper un long soupir avant de raconter la visite qu'il a faite à l'athlète polonais, quelques jours avant sa mort.

— Tu parles bien du biathlète décédé durant son transfert vers la Pologne ? demande Annie au souvenir de « l'homme à la tache de ketchup » dont elle avait reconnu la photo dans le journal.

— Juste avant son départ, il m'avait donné un message rédigé en polonais, à transmettre à son médecin. Comme Katiana est chargée de sa délégation et qu'elle parle la langue, elle a établi le contact avec ledit médecin. Ce type n'est pas clair. J'ai peur qu'il ait tenté de se débarrasser de Katiana. Or, c'est moi qui aurais dû être à sa place, voilà pourquoi je m'inquiète et me sens concerné.

Pendant un moment, le couple se tait. Dans la nuit froide, on n'entend plus que

le bruit de la neige dure craquant sous les semelles des deux policiers et les *daf-daf-daf* du labrador qui flaire le sol à la recherche d'une piste.

— Il n'y a rien entre Jeffrey et moi, reprend Annie avec douceur. Enfin, rien de grave. C'est un bon copain, c'est tout. Nous sommes sortis ensemble pendant deux ans, puis il m'a laissée pour les Forces armées.

— Lui, un militaire ?

— Pas vraiment. Il a vite pris une autre voie. Il travaille maintenant pour la compagnie Pétroles Canada, en Alberta.

Steve hésite avant d'exiger des précisions :

— Et tu es certaine que c'est... fini entre vous ? C'est lui qui t'a quittée, après tout. L'aimes-tu encore ? Il n'arrête pas de se vanter. Vous semblez plutôt bien vous entendre.

— Oh ! Steve ! C'est moche qu'il t'ait raconté n'importe quoi. Nous avons pris une bière ensemble un soir, puis il y a eu la descente en bobsleigh. On s'est vus, en tout, deux heures. Mais, vois-tu, j'ai beau lui dire que j'ai un conjoint au Québec, je ne peux pas lui révéler que c'est toi, même lorsque je t'ai en face de moi. Je ne peux

même pas t'approcher. C'est… c'est beaucoup plus difficile à vivre que je ne le croyais quand je t'ai encouragé à prendre ce travail.

— Mais pas assez pour annuler ce rendez-vous et passer la soirée avec moi lorsque je te l'ai demandé, conclut Steve, amer.

— Non, Steve, ça ne s'est pas passé comme ça. Il était trop tard pour annuler. Et il s'est fendu en quatre pour me faire vivre cette descente.

— C'est justement ce qui m'embête.

Annie inspire profondément et essaie de détendre ses muscles contractés. Finalement, elle raccourcit la laisse de Daf-nez et pivote sur elle-même.

— Eh bien ! Si tu le prends de cette façon…

— Non, Annie, dit Steve, la voix cassée, tu ne me comprends pas. Je ne me comprends même pas moi-même. J'ai peur.

— De quoi, encore ? lance Annie, agacée. Tu as peur pour Katiana, tu as peur pour moi. Comment puis-je te comprendre ?

Steve demeure muet. Son regard se déplace des montagnes à Annie, puis d'Annie aux montagnes. Il ouvre la bouche pour

parler, mais les mots restent bloqués, comme s'ils étaient trop gros pour être prononcés.

— De quoi as-tu peur, Steve? répète Annie en détachant chaque syllabe.

— J'ai peur de te perdre, avoue enfin Steve, en réprimant un sanglot. Je t'aime, Annie, plus que tout au monde. Mais je ne suis pas capable de te l'exprimer comme il faut.

Le jeune homme réussit à se maîtriser et les paroles se mettent à sortir d'elles-mêmes.

— Je suis plutôt moche, ni riche ni sexy. Pas même sportif ou intello. Je n'ai pas de bagnole excitante, de gros diplômes et je n'ai pas assez d'argent pour faire des projets d'avenir. Ici, je ne peux même pas crier à la face du monde que tu es ma fiancée. Ta vie avec moi n'est pas un conte de fées. Tu mérites beaucoup plus que je ne peux t'offrir. Peut-être ne suis-je pas la bonne personne pour toi?

— Oh! Steve, fais-moi confiance, je t'assure qu'il n'y a rien entre Jeffrey et moi. C'est toi que j'aime, comme tu es, sans flafla, sans argent. Je ne veux et je ne cherche personne d'autre. Et surtout, pas de contes

de fées, tu sais bien que je déteste les robes et la dentelle. Puis zut ! Je m'en fiche si quelqu'un nous voit ensemble, ça fait trop longtemps qu'on ne s'est pas serrés l'un contre l'autre. Viens dans mes bras et embrasse-moi, je t'en prie.

Annie ouvre les bras et Steve s'y jette aussitôt, serrant sa bien-aimée comme s'il voulait se fusionner à elle. Des larmes coulent librement sur les joues du jeune homme et se mêlent à celles d'Annie. Des larmes chaudes de soulagement. D'un mouvement de la main, Annie rabat son capuchon sur sa tête, puis agrippe celui de Steve, créant un abri contre le vent et les regards dans lequel leurs bouches se joignent en un baiser d'abord tendre, puis passionné. Daf-nez, qu'ils avaient oubliée, comme le reste de l'univers d'ailleurs, se met alors à japper en tirant sur sa laisse. Annie se détache à regret de son compagnon et dit en riant :

— Daf-nez, ne fais pas ta jalouse. On n'a pas encore terminé.

Mais la chienne tire de nouveau sur sa laisse en gémissant. Les deux amoureux s'écartent l'un de l'autre en soupirant et

regardent le labrador qui, le museau au sol, inspecte des traces de pas entremêlées. Annie se penche et déclare :

— Il y a deux paires de bottes ici, une petite et une grande. Combien mesure Katiana ?

— Comme toi, environ un mètre soixante-quatre, plutôt mince. On dirait qu'il y a eu une bataille. La neige est tassée.

En examinant le sol de plus près, le couple y découvre l'empreinte d'un genou posé par terre et, un peu plus loin, celle d'un corps étendu sur la neige. Puis, encore plus loin, la piste de quelqu'un qui s'éloigne. Seul.

— Regarde, à partir d'ici les grosses bottes s'enfoncent plus profondément dans la neige, constate Steve. Il la portait sûrement. Allons-y.

— Non, attends, ordonne Annie, en sortant son cellulaire. Je vais prendre une photo de l'empreinte de la semelle. Éclaire-moi bien, s'il te plaît.

Steve, malgré son inquiétude et son impatience à retrouver Katiana, ne peut s'empêcher de sentir une vague de bien-

être l'envahir. Ils sont là, tous les deux, partenaires en amour et dans le travail, faisant ce qu'ils font le mieux ensemble.

Un jappement de Daf-nez le rappelle à l'ordre. À quelques mètres de là, la chienne a trouvé des traces de corps imprimées dans une congère bordant la route. Le labrador pointe son museau vers un morceau de plastique, à peine visible. Avec précaution, Steve le récupère. C'est une seringue, l'aiguille toujours en place. Une petite quantité de liquide a gelé dans le cylindre. Steve échappe un gémissement. *A-t-on tué Katiana ? L'a-t-on simplement endormie ? Où est-elle maintenant ? Arriverons-nous trop tard ?*

Annie comprend que son ami est en train de perdre le contrôle. Elle met la laisse de Daf-nez entre les mains tremblantes du policier et prend la seringue. Elle retire le piston et introduit l'aiguille dans le cylindre qu'elle emballe dans son foulard, faute de contenant sécuritaire. Puis elle encourage son compagnon :

— Allez, Steve, ne désespère pas. C'est peut-être juste un junkie venu se piquer ici…

Le couple emboîte le pas à Daf-nez. La piste longe une route de service qui s'enfonce dans un boisé. Le trio arrive enfin dans un grand espace dégagé où sont garés des véhicules de déneigement entre des monticules de sel calcique et de sable. La piste se perd entre les traces de pneus et de chenilles des déneigeuses et des camions d'entretien. Daf-nez s'assoit, le museau en l'air. Annie lui fait sentir l'odeur de Katiana, en vain.

— Peut-il être monté dans une voiture qui l'attendait dans le secteur?

— Tu as raison, il n'y a pas d'empreintes dans l'autre direction... et c'est la seule issue pour sortir d'ici. J'appelle la police, il n'est peut-être pas trop tard pour faire installer des barrages.

— Elle doit être loin à présent, soupire Annie. Mais attends, je détache Daf-nez et on fouille tous ces monticules et les camions.

Les deux policiers se séparent et passent au peigne fin le périmètre, fouillant chaque butte de sable et de sel, montant sur les marchepieds des mastodontes pour explorer l'intérieur des cabines et des bennes. Daf-nez, de son côté, suit Annie en flairant tout sur son passage. Puis, soudain, elle revient

sur ses pas, vers une souffleuse que le binôme a déjà inspectée.

— Daf-nez, ne perds pas ton temps, on est passées par là.

Mais le chien s'avance en reniflant jusqu'à l'avant du monstre d'acier, dont les rotors gigantesques sont enfoncés dans le banc de neige. Daf-nez se met alors à gratter le sol avec excitation. Steve vient en aide à la chienne et creuse avec elle. Annie illumine la scène avec sa lampe de poche et prend quelques photos. La neige n'est pas compacte. Elle a été dérangée récemment. Un pied apparaît bientôt, puis une hanche. Steve tire fermement sur les jambes et dégage le corps entier de son linceul blanc.

Un visage exsangue, sans chaleur, sans vie. Katiana.

— Non, murmure Steve, sidéré.

Vivement, il colle son oreille contre la bouche de la victime à la recherche d'un souffle. Puis, il pose délicatement ses doigts sur la jugulaire de la jeune femme transie. De son côté, Annie appelle les secours d'urgence. Lorsqu'elle doit expliquer l'état de la victime, elle se penche vers Steve :

— Et puis?

— Elle respire, mais c'est très faible. Hypothermie majeure. Je dois la réchauffer...

Steve fait descendre le curseur de la fermeture à glissière de son manteau et répète l'opération avec le parka de Katiana. Le policier déchire ensuite sa chemise et la blouse de la déléguée russe. Puis il se colle contre elle, peau contre peau, tout en la frictionnant vivement. Annie détourne les yeux, mal à l'aise, bien que consciente qu'il n'y ait pas d'autre moyen de réchauffer rapidement la victime. Elle frissonne en observant la scène du crime. Placé dans le creux du souffleur, le corps de Katiana aurait été pulvérisé en une fraction de seconde par les rotors coupants, dès la mise en marche de la souffleuse.

Au loin, résonnent déjà les sirènes de l'ambulance. Annie se penche sur Daf-nez dont la queue bat doucement sur la neige.

— Tu as été géniale, ma belle. Je t'adore.

Pendant que les ambulanciers stabilisent Katiana et l'installent sur la civière, Steve se débat avec la tirette de sa fermeture éclair. Ses doigts gourds et une fureur mal contenue l'empêchent de se rhabiller.

— Ça va, Steve ? demande Annie, en l'aidant. Elle le serre ensuite contre elle, presque effrayée par le regard sombre de son compagnon.

— Je vais le tuer, ce Biernat…

— Steve, voyons !

— Tu as raison. Il va seulement regretter d'être né.

Puis, avant de répondre aux questions des policiers arrivés sur les lieux, le jeune homme compose un numéro sur son cellulaire. La voix ensommeillée et exaspérée de Martin Lescot lui répond.

— Bordel, Steve ! Il est trois heures du matin…

— Lescot, ferme-la et écoute-moi bien. J'avais raison pour Katiana…

— Quoi ? Qu'est-ce que tu veux dire ?

En trois phrases, Steve raconte l'état dans lequel il a découvert Katiana, les traces de pas, de lutte, la souffleuse.

— Je vais exiger une ouverture d'enquête pour tentative de meurtre, affirme le policier. Et, en même temps, je soumettrai le cas de Vojtech aux autorités concernées. Il est évident que ces affaires sont liées… Rassemble tes preuves, Martin, ce Biernat

ne sortira pas du Canada avec des médailles, termine Steve.

En raccrochant, Martin pousse un soupir désespéré. « Quelles preuves ? » En croisant les doigts pour conjurer le mauvais sort, il compose le numéro de la morgue de l'hôpital de Cracovie, le numéro de la dernière chance.

Chapitre 15

Où étiez-vous la nuit dernière ?

Steve et Annie font leur déposition au poste de la Gendarmerie royale du Canada à Whistler. Celle de Steve dure deux bonnes heures. En sortant de là, épuisé, le jeune homme rentre dans ses appartements et prend quelques heures de sommeil avant de se diriger vers les soins intensifs de l'hôpital général de Vancouver où Katiana est soignée. Fracture du crâne, contusions multiples, hypothermie et... coma profond.

Derrière la vitre d'observation, Steve considère la jeune femme connectée à des machines par des tubes et des fils, la tête disparaissant sous un énorme bandage, le visage aussi blanc que les draps immaculés sur lesquels elle repose. Une boucle de

cheveux noirs, s'échappant du turban de gaze, accentue la pâleur de la malade. Bien qu'il ait sauvé Katiana d'une mort certaine grâce à Annie et son labrador, le policier ne peut s'empêcher de se culpabiliser d'avoir envoyé sa collègue dans ce piège sordide. Il réprime un élan de colère en pensant à Biernat. Pour Steve, pas de doute, c'est lui le responsable. Le meurtrier en puissance.

Un toussotement le ramène à la réalité. Martin Lescot se tient derrière lui, le regard triste.

— Comment va-t-elle ?

— Pas de changement. Le médecin m'a dit que, comme dans toutes les situations de coma traumatique, elle peut revenir à elle dans quelques heures ou dans quelques années…

Steve prend une pause. Il n'ose pas ajouter *ou jamais*, mais il sait que cette possibilité existe. Puis il continue :

— Ils ont trouvé un sédatif puissant dans son sang. Un produit qui n'est plus utilisé ici depuis longtemps. Le médecin affirme que celui qui a fait l'injection ne voulait pas tuer Katiana sur le coup, mais

plutôt faire en sorte qu'elle ne puisse pas se réveiller avant un bon moment. L'assassin comptait sur le froid ou la souffleuse pour achever sa victime. Si Katiana se réveille, elle ne se rappellera peut-être rien.

Les deux hommes s'interrompent pour laisser passer des brancardiers poussant une civière. Steve soupire :

— Ce n'était pas à elle de faire ce travail, de rencontrer Biernat. C'était à moi que Vojtech avait confié le message, c'était à moi de le porter…

— En acceptant ce job, Katiana connaissait les risques. Elle les acceptait, tout comme toi. Tu ne parles pas le polonais, elle oui. Mais tu as raison sur un point : j'aurais dû tenir compte de ton expérience d'enquêteur, me fier à ton instinct et la sortir de là au plus tôt. Je m'en veux tellement…

— Ça ne la fera pas revenir, grogne Steve avec amertume. Maintenant, il faut s'occuper de Biernat. Tu dois avoir des preuves contre lui, les prélèvements effectués sur Vojtech, les résultats de son autopsie, les tests antidopage des autres athlètes polonais ? On va en avoir besoin. Il doit payer pour ses crimes…

— Ce sont malheureusement des preuves indirectes. Elles n'impliquent pas personnellement Biernat. Néanmoins, je pars pour Cracovie dans quelques heures, avec un médecin légiste. Je vais tenter d'empêcher l'incinération du corps de Vojtech. La famille est contre l'autopsie, une histoire de religion… Ils veulent procéder aux funérailles et faire leur deuil. Or, tant qu'on n'aura pas officiellement ouvert une enquête criminelle, on ne pourra pas les contraindre à autoriser l'examen de la dépouille. Je vais donc y aller, pour les exhorter à attendre. Il est possible que l'enquête soit confiée à Interpol[19]. Steve…, merci encore d'avoir retrouvé Katiana. Prends une journée de congé, tu l'as bien méritée. Et essaie quand même de préserver ta couverture jusqu'à la fin des Olympiques. Je pense que ton travail est essentiel. Si quelqu'un en doutait, tu viens de faire tes preuves.

Steve marmonne un « ouais » maussade tout en continuant de fixer le visage d'albâtre de Katiana, immobile et blême comme celui d'un gisant…

---

19. Police internationale.

Tôt le matin, quatre agents de la Gendarmerie royale du Canada, deux traducteurs et le président du CIO se présentent à la résidence de la délégation polonaise. Un gardien de sécurité conduit tout ce monde au salon qui, à l'aide de paravents, est divisé en différents bureaux à cloisons. Chaque membre de la délégation, athlètes, entraîneurs ou accompagnants, y est ensuite amené pour un interrogatoire et une prise d'empreintes digitales. Les mêmes questions se répètent « Connaissez-vous Katiana Ivanovna ? Quand l'avez-vous vue pour la dernière fois ? Que faisiez-vous hier, entre vingt heures et trois heures du matin ? Quelqu'un peut-il confirmer votre alibi ? »

L'atmosphère dans la résidence est tendue. Malgré tout, les athlètes collaborent sans hésiter. Tous appréciaient Katiana, qui était débordante d'énergie et toujours prête à rendre service. Lorsqu'il ne reste qu'une personne à interroger, le gardien de sécurité entraîne les agents vers la chambre 23.

— Docteur Biernat ? Vous avez de la visite.

— À moins qu'il ne vomisse ses tripes, je ne vois pas d'athlète avant 8 h, dit une voix ensommeillée à travers la porte.

— Je pense que vous devriez faire une exception…

La porte s'entrouvre sur Biernat en robe de chambre, les cheveux en broussaille, les traits tirés. Il sursaute en découvrant les deux agents, mais reprend vite un air impassible.

— Messieurs ?

— Monsieur Klemens Biernat ? Je suis l'agent Michael Brown, de la GRC. Nous interrogeons tous les membres de la délégation.

— À quel sujet ? demande Klemens en blêmissant et en se mordant la joue pour reprendre contenance. Est-ce que je peux au moins m'habiller ?

— Ce ne sera pas nécessaire. Ça ne prendra que quelques minutes.

Klemens remarque alors qu'un troisième agent le surveille d'un peu plus loin. *C'est probablement pour la pseudo-bombe*, pense

le médecin en sentant son estomac se nouer. *Merde ! Ce Tomasz Mazurek en a fait un peu trop en plaçant son appel anonyme pour détourner l'attention de la mort de Vojtech, le même jour. Du calme, ils ne peuvent rien contre toi, tu n'as rien à voir avec cette menace bidon…*

Le médecin prend un air raisonnablement intrigué et conciliant. Il se rend au salon où on lui demande d'attendre. Le temps s'éternise. Klemens se tient très droit sur sa chaise et s'efforce de ne montrer aucune émotion. Néanmoins, il s'inquiète. En chemin, il a remarqué que la plupart des athlètes se dirigeaient vers la cafétéria. Puis, autour de lui, seuls quelques entraîneurs sont encore interrogés et ils se retirent vers leur chambre chacun à leur tour. Puisque tous les autres ont été questionnés, pourquoi le fait-on poireauter ? Il se lève, faisant mine de se dégourdir les jambes, ce qui déclenche aussitôt l'arrivée d'un agent.

— Ah ! enfin ! C'est que j'ai du travail, aujourd'hui…

— Monsieur Biernat, c'est à vous, fait l'agent en invitant le médecin derrière les paravents.

— Veuillez décliner votre nom, prénom, nationalité, profession et le motif de votre présence au Canada.

Klemens s'exécute, puis demande :

— Puis-je savoir la raison de tout ceci ? Suis-je soupçonné de quelque chose ?

— Pourquoi dites-vous cela, monsieur Biernat ? Nous avons interrogé tous les membres de la délégation…

— Parce que dans mon pays, on ne retient pas les gens contre leur volonté et on ne les fait pas attendre aussi longtemps pour les questionner sans motif valable. Or, j'imagine que dans un pays aussi démocratique que le Canada, les droits et libertés des citoyens doivent être au moins aussi bien protégés que chez moi.

— Vous sentez-vous coupable de quelque chose ? s'enquiert l'agent Brown d'un ton sibyllin.

— À part d'être en pyjama au milieu d'agents fédéraux, non. Aurais-je des raisons de réclamer un avocat ?

— Vous n'êtes accusé de rien, ni en état d'arrestation. Ceci n'est qu'une enquête préliminaire. Connaissez-vous cette femme ?

enchaîne Brown en montrant la photo de Katiana.

Le vide se fait dans la tête de Biernat. Déjà ? Jamais il n'aurait cru que Mazurek agirait si vite. Il avait fourni la photo de la femme et l'anesthésique, c'est tout. Rien d'illégal. Pas de poison. Sans compter qu'il avait pris soin de ne rien laisser sur la bouteille, ni empreintes ni indications d'aucune sorte. *Impossible que les policiers remontent jusqu'à moi. D'ailleurs, j'ignore réellement ce que Mazurek a fait de cette fille. Tout va bien*, se répète Klemens pour se calmer, *tout va très bien*. Le médecin prend son temps pour bien examiner la photo et feint de se concentrer.

— Oui, je l'ai entrevue quelques fois au village olympique. Peut-être même dans cette résidence. C'est une athlète ?

— Elle est déléguée.

— Ah... C'est possible. Quel est le lien avec ma présence ici ?

— Où étiez-vous dans la nuit de dimanche à lundi.

— Que lui est-il arrivé ? s'informe Klemens, soudain agité. Viol ? Enlèvement ?

Est-ce qu'on l'a tuée ? Ai-je des raisons de m'inquiéter pour mes athlètes ? L'alerte à la bombe, puis ça… Moi qui croyais que le Canada était un pays paisible…

— Monsieur Biernat, répondez à la question, s'il vous plaît.

— Euh… Dimanche soir, attendez… C'est hier, ça… J'ai passé la soirée dans ma chambre. Peut-être suis-je allé prendre une douche. J'ai lu, je me suis couché tôt, vers 22 h. Puis je suis resté dans mon lit jusqu'à ce que vous m'en tiriez tout à l'heure.

— Y a-t-il des témoins ?

— Je n'ai pas l'habitude de me laver en public et je dors seul, déclare Biernat en prenant un air offusqué. Cette femme me semble trop jolie pour s'intéresser à un vieux ringard comme moi. Et je suis un homme marié. Mais le concierge pourra vous confirmer que je ne suis pas sorti de la résidence.

— Avez-vous parlé à cette femme ces derniers jours ?

— Comme tout le monde, j'imagine. Elle dit bonjour et je réponds. Mais je ne peux pas qualifier cela de conversation.

— Connaissez-vous un certain… Attendez, marmotte Brown en fouillant dans ses papiers. Ah oui ! Aleksander Voltech ?

— Vojtech, vous voulez dire. Bien sûr que je le connais, c'est un de mes protégés. Enfin… c'était… Bien triste cette histoire…

— Quelle histoire ? l'interrompt Brown.

— Ah ! Vous ne le savez pas ? Être atteint d'un cancer et mourir alors que l'on doit enfin réaliser son rêve de participer aux Olympiques. Pfffft ! La vie est parfois étrange, n'est-ce pas ? Ces athlètes qui s'entraînent pour être au sommet de leur forme et qui succombent à un bête programme génétique. Une histoire d'hérédité. Quel est le rapport avec madame Ivanovna ?

Aucun, j'imagine… Bien que, tout comme vous, je sois étonné par ce qui se passe en ce moment. D'ailleurs, je constate que la mémoire vous revient, vous semblez subitement mieux connaître la déléguée dont nous parlons.

— Vous avez dit son nom, tout à l'heure.

— Non, l'assure Brown en lui lançant un regard sévère.

— J'ai la mémoire des noms, affirme sèchement Klemens. On a dû me la présenter à mon arrivée.

— Je vois… Ça vous dérange si on jette un œil à votre chambre ?

— Oui, bien sûr, c'est ma vie privée. Mais j'imagine que je n'ai pas le choix. Si je refuse, vous le ferez quand même. Et vous en profiterez pour me soupçonner un peu plus… N'est-ce pas, inspecteur ? Au fait, vous ne m'avez toujours pas expliqué ce qui lui était arrivé, à cette déléguée. Elle est morte ou vivante ?

— Elle est aux soins intensifs, lâche finalement Brown tout en observant le visage de Klemens. Vous êtes médecin, vous savez ce que ça implique…

— Oh ! murmure Klemens en fixant à son tour Brown dans les yeux, sans ciller. Je suis désolé pour elle.

— On a trouvé un mélange d'anesthésiques dans son sang. Euh… kétamine et xylazine. Vous en avez dans votre trousse ?

— Heureusement que non ! Je ne soigne pas les animaux, monsieur Brown. Vous auriez dû vous renseigner mieux que ça.

Brown ne répond pas à la réplique du médecin. Il fait signe à plusieurs de ses agents de le suivre et tous se dirigent vers la chambre de Klemens. Brown attend devant la porte que Biernat l'invite à entrer. Après avoir poussé un long soupir, le médecin s'exécute. Les bras croisés sur sa robe de chambre, le médecin affiche un air de défi en observant les hommes fouiller ses affaires. Après quelques minutes de recherche, les agents sortent en désignant la salle de bain à Brown. Celui-ci s'y dirige et remarque, sur la tablette de verre au-dessus de l'évier, cinq grosses bouteilles de médicaments. Chacune est marquée du nom d'un athlète. Brown fait alors le lien avec le délégué Steve Demers, ou plutôt Steve Garneau, quelques heures auparavant, qui lui avait dit être un policier infiltré secrètement par l'AMA pour collecter des informations sur les athlètes dopés et ceux qui organisent et financent le dopage sportif. *D'après cet enquêteur, Katiana était aussi une taupe de l'AMA*, se rappelle Brown. *J'ai cru qu'il exagérait avec ses histoires de dopage à dormir debout. Mais deux athlètes morts plus tard, ça semble moins fou.*

— Qu'est-ce que c'est ? demande-t-il à Biernat.

— De simples analgésiques antipyrétiques.

— Et en langage de tout un chacun ? continue l'inspecteur, n'appréciant pas qu'on lui serve exprès du jargon scientifique.

— De l'acétaminophène, que vous connaissez ici sous le nom de Tylenol. Un médicament en vente libre contre la douleur et la fièvre.

— Et vous allez tenter de me faire croire que tous les athlètes dont je peux lire les noms ici sont fiévreux, et ce, suffisamment pour posséder chacun une bouteille de quoi... cinq cents comprimés ?

— La chaleur dégagée lors d'efforts intenses peut se qualifier de fièvre, déclare le médecin.

— Très bien. Toutefois, même si vos protégés faisaient de la fièvre en permanence, ils prendraient quoi ? Deux grammes, quatre grammes de ce médicament par jour ? suggère Brown en vidant une partie du contenu de l'une des bouteilles dans le creux de sa main. Cela fait huit comprimés

multipliés par quinze jours, disons vingt jours de présence au Canada. Au total, chacun de vos athlètes surchauffés aurait besoin de cent soixante comprimés pour la durée des Jeux. Vous avez prévu large, très large…

— La consommation de mes athlètes est variable. Le commun des mortels est avisé de ne pas dépasser quatre grammes par période de 24 heures, mais tous les médecins savent qu'en bas de sept grammes, il y a peu de risques de surdose. Mais je ne vous en veux pas d'ignorer ce fait, vous n'êtes pas médecin, souffle Klemens d'un air hautain.

— Ce n'est pas du dopage, ça ? s'enquiert Brown en replaçant les comprimés dans la bouteille tout en prenant soin d'en subtiliser quelques-uns.

— Si vous étiez un peu mieux renseigné, vous sauriez que l'acétaminophène ne fait pas partie des produits illicites en compétition, ni hors compétition. Et pour parfaire vos connaissances qui me semblent loin d'être suffisantes pour parler intelligemment d'un sujet aussi complexe, je vous dirai que le dopage, c'est souvent dans la tête que ça

se passe. Les cachets et poudres dopantes gonflent les muscles, mais aussi la confiance en soi. Je m'occupe de mes athlètes depuis plusieurs années et j'ai constaté qu'un peu d'acétaminophène leur donne de l'assurance, c'est le fameux effet placebo. Voilà pourquoi mes sportifs attachent une grande importance à leur petite pilule inoffensive. Elle réduit la douleur et la fièvre, certes, mais elle leur donne aussi l'impression qu'ils ont un petit avantage sur les autres. Mes gars ne sont pas dopés, monsieur Brown. Ils s'entraînent pour être parmi les meilleurs. Et ils y réussissent.

— Quand ils ne trouvent pas la mort avant la compétition..., rétorque Brown.

— Un programme génétique ne peut être changé, enchaîne aussitôt Klemens comme un acteur qui a bien appris sa réplique. Celui de Vojtech le préparait à mourir d'un cancer comme plusieurs membres de sa famille. Le cancer frappe à tout âge, inspecteur, et se moque bien de la forme physique de sa victime et de ses projets de vie.

— Je suis peut-être ignorant en médecine, poursuit Brown, mais je sais que

l'acétaminophène est dégradé par le foie. Or, Vojtech est mort d'un cancer du foie.

— En effet, vous n'y connaissez rien. Maintenant, si vous voulez bien, j'aimerais m'habiller et commencer ma journée. Mes athlètes m'attendent.

Brown sort de la chambre et, avant de partir, présente sa carte de visite à Klemens en disant :

— Au cas où un détail vous reviendrait, téléphonez-moi.

Le médecin prend la carte et referme doucement la porte derrière le policier. Il retient sa respiration durant quelques secondes, puis se laisse tomber sur son lit. Son corps est agité de tremblements qu'il met plusieurs minutes à maîtriser.

— Klemens, tu te fais trop vieux pour ça. C'est le temps d'arrêter…

Brown, après avoir réintégré sa voiture de service, extirpe de sa poche les comprimés qu'il a prélevés en douce dans une des bouteilles d'acétaminophène. Il en dépose la moitié dans un sac de plastique pour analyse chimique, puis met l'autre moitié dans un mouchoir. Il prend ensuite la direction du bureau, un vague sourire aux lèvres.

Chapitre 16

Frustrations

Annie s'est levée tôt malgré le fait qu'elle aurait pu exceptionnellement paresser au lit. Elle est en congé pour trois jours et elle compte bien en profiter. Il fait un temps splendide. Une neige poudreuse est tombée durant la nuit, transformant le décor en un paysage de carte postale. Elle a invité Steve pour un brunch à la résidence, pratiquement déserte à cette heure, alors que la majorité des agents chargés de la sécurité aux Olympiques sont au travail. Puis elle a planifié de la planche à neige pour elle et du ski pour Steve sur les montagnes jumelles, Whistler et Blackcomb, où aucune compétition n'est prévue aujourd'hui. Elle aurait aimé terminer la journée de façon romantique dans un petit chalet sur le bord des

pentes, à déguster une bonne bouteille de vin, couchée sur une peau d'ours ou de caribou devant un foyer, mais elle sait qu'elle devra se contenter de son lit à une place. *Ce sera comme dans le bon vieux temps, quand j'invitais des copains chez ma tante pas trop regardante sur la morale…*

Annie soupire en songeant que Steve est encore sous couverture. Maintenant qu'un meurtre a été perpétré, le jeune homme doit plus que jamais protéger son identité. La policière regrette de ne pas pouvoir véritablement épauler son amoureux et d'être confinée au rôle secondaire de maître-chien détecteur d'explosifs. Même si elle essaie de se convaincre que son travail est aussi important que celui de Steve, elle préférerait être dans le feu de l'action, sur la scène même du crime.

Annie consulte sa montre et sursaute. Steve sera là dans moins de dix minutes. Elle voudrait bien se débarrasser de Malcolm qui traîne encore dans la résidence en sirotant son café avec une lenteur exaspérante. Ce dernier la regarde nettoyer la cuisine commune en roulant des yeux. *Des yeux de poisson*, pense Annie. *S'il croit me*

séduire avec ça ! Finalement, elle décide d'être directe :

— Malcolm, je n'ai rien contre toi, mais je n'ai rien pour toi, non plus. Je reçois une amie, si tu vois ce que je veux dire. Non ? Disons que j'ai révisé mes tendances. Les gars, ce n'est plus pour moi. Alors ne te mets pas en retard au travail à cause de ma personne, c'est inutile.

Elle retire la tasse vide des mains de Malcolm et le cingle avec le torchon. Bon vent ! Elle ignore le regard meurtrier que l'agent pose sur elle avant de quitter la pièce. Annie se demande bien ce qu'un homme ainsi éconduit peut imaginer comme vengeance. En frissonnant, elle se concentre sur la touche finale à son brunch.

Le bacon termine de cuire dans la poêle, les fruits sont coupés, les gaufres mises au réchaud et le café coule goutte à goutte dans le silex. Pendant qu'elle dresse la table, Annie commence à se détendre. Elle est heureuse d'éprouver cette impatience à revoir son amoureux, malgré les difficultés des derniers jours. Son affectation à Whistler s'est révélée plus ennuyeuse qu'elle ne l'avait envisagé. Elle pensait que vivre les

Olympiques de l'intérieur la comblerait, mais c'est loin d'être le cas. Toutes ces files d'attente à fouiller ! Annie se rend compte avec amertume qu'elle devra peut-être abandonner son travail de maître-chien après les Jeux, car elle sent qu'elle ne parviendra jamais à se plaire dans ce travail routinier. Or, cela veut dire perdre Daf-nez, cette chienne avec qui elle a réussi à établir une connexion que peu de propriétaires d'animaux arrivent à obtenir. *Daf-nez me manquera, mais mon travail d'enquêteur me manque encore plus,* pense la jeune femme en astiquant les couverts.

Le téléphone sonne dans sa chambre. Daf-nez jappe et se précipite vers la porte. La jeune policière jette un regard paniqué aux tranches de bacon cuites à point, puis à la porte de sa chambre, loin au fond du couloir… Elle retire vivement la poêle de la plaque chauffante, faisant gicler l'huile brûlante sur sa main. La douleur est atroce. Avec horreur, Annie observe la trace huileuse se transformer en une plaque rouge sur sa peau, puis elle se précipite à l'évier. L'eau froide lui apporte un soulagement immédiat. La sonnerie du téléphone cesse

et la jeune femme entend, en sourdine, le répondeur se mettre en marche. Elle retire sa main de l'eau et grogne. Le feu de la brûlure redevient intolérable. La peau rouge et cloquée est brûlée au troisième degré à plusieurs endroits. *Ce que je peux être maladroite ! Comment je ferai pour mettre mon gant de ski tout à l'heure ?* À la simple idée de manquer cette journée, les larmes lui montent aux yeux. Elle ramasse un linge à vaisselle, l'imbibe d'eau, et le dépose sur la plaie. Puis elle sort avec difficulté la clé de sa poche et se dirige vers sa chambre. Daf-nez entre la première et pose la patte sur le répondeur. En entendant la voix de Steve, la chienne jappe gaiement.

— Salut, Annie, euh... Je voulais te prévenir que je ne pourrai pas venir déjeuner. J'ai une urgence. Je dois... euh... aller voir Katiana. Je te rappellerai plus tard.

Annie sent une bouffée de colère la submerger. Non, pas ça ! Il ne lui fait pas ÇA ? Pas aujourd'hui ! Enragée, elle frappe de sa main brûlée le guéridon sur lequel repose le répondeur. Des éclairs de douleur se propagent dans son corps et elle doit s'asseoir pour reprendre son souffle.

Daf-nez gémit, le museau entre les pattes. La jeune femme saisit le combiné et compose le numéro de son conjoint. Le répondeur s'enclenche. Annie prend une grande inspiration et lance d'une voix glaciale :

— Steve, t'as pas choisi ta journée pour me faire ce coup de cochon ! Je ne suis pas une vieille chaussette qu'on abandonne au fond d'un placard. Et certainement pas pour une poupée russe !

Elle raccroche et se dirige vers la cuisine où elle jette le bacon, les gaufres et les fruits dans la poubelle avant d'envoyer la poêle sale dans l'évier. Puis elle enferme Daf-nez dans sa chambre, prend son manteau et sort sans desserrer les lèvres.

Dehors, l'air cristallin et la neige craquante transforment peu à peu sa fureur en une boule de rancune, douloureusement logée au fond de son estomac. Elle rejoint sa voiture et, tout en balayant de sa manche son pare-brise couvert de neige, elle chasse l'image de Steve et Katiana… ensemble. Mais c'est plus fort qu'elle et des larmes inondent ses joues. Elle s'installe au volant, embraye et prend la direction du village de Whistler.

Lorsqu'elle entre au Brew House, presque désert à cette heure, Annie a déjà pris sa décision. Elle déjeunera, ira s'éclater sur les pentes, se paiera un souper hors de prix, puis plongera dans son matelas. Et tout ça, sans penser à Steve, sans pleurnicher, juste elle avec elle-même. Elle a été solitaire et indépendante suffisamment longtemps dans sa jeunesse, ça devrait lui revenir assez facilement, non?

Son téléphone sonne dans le fond de sa poche. Le cœur battant, elle le laisse épuiser ses sonneries, bien décidée à ne pas répondre. Elle attend quelques minutes et, sans regarder la provenance de l'appel, appuie sur la touche de fermeture.

Elle attaque son déjeuner, en lisant le journal, lorsqu'une ombre lui cache la lumière. Agacée, elle termine difficilement sa lecture avant de lever les yeux.

— Madame ne s'est pas présentée pour voir ma compétition, d'accord, mais que madame ne me félicite pas pour ma médaille d'argent, c'est inacceptable.

— Jeffrey! s'exclame Annie en se levant pour accueillir l'athlète. Wow! Cette médaille te va très bien, rajoute-t-elle en

soupesant le lourd médaillon. Je suis désolée d'avoir manqué ça...

— Ouais, ouais, c'est ce que disent toujours les absents... Tu as éteint ton cellulaire, fait remarquer Jeff en s'assoyant à côté de la jeune femme. Je t'ai laissé deux messages.

— Ah ! C'était toi ? Pardonne-moi. J'avais besoin d'être seule... Ce sont mes premiers jours de vacances depuis deux semaines...

— Si je t'embête, je peux partir, tu n'as qu'à me le demander.

— Non, non, s'empresse-t-elle de répondre, en sentant une onde de chaleur lui empourprer le visage.

— Qu'est-ce que tu as là ? s'informe Jeff en prenant doucement la main bandée d'Annie.

— Oh... Une simple brûlure, explique Annie en retirant sa main. Je préparais du bacon et j'ai été maladroite. Voilà pourquoi je me retrouve ici. As-tu déjeuné ?

— Oui, mais j'ai toujours faim, alors je t'accompagne, si tu veux. Je suis tellement content de te voir...

Il s'interrompt devant l'air affligé d'Annie.

— J'ai quelque chose à te proposer. Je crois que ça pourrait te faire du bien.

— Encore une descente vertigineuse dans ton petit traîneau de gamin ?

— Non, et tu avais promis de ne plus l'appeler comme ça…

— D'accord, d'accord, tu as raison. Ton bolide extrême. Alors ?

Jeffrey réfléchit quelques secondes avant de poursuivre, comme s'il doutait de lui-même. Puis une lueur d'amusement et d'anticipation passe dans son regard :

— Combien de jours de congé as-tu ? lance-t-il.

— Trois. En comptant aujourd'hui qui est pas mal entamé.

— Ce serait suffisant… Voilà, je t'offre d'aller à Banff, au lac Louise.

— Mais c'est au bout du monde !

— Pas tant que ça. Je t'y conduirai. La route est magnifique et on annonce du soleil. Et là-bas, ma parole, c'est le plus bel endroit du monde, selon moi.

— Et que fera-t-on, à Banff ?

— Du ski ou de la planche à neige, de bonnes bouffes et on va se remplir les yeux du paysage.

— En fait, exactement ce qu'on pourrait faire ici, sans la route, réplique la jeune femme, consciente de passer pour une empêcheuse de tourner en rond.

— *Come on*, Annie ! Ici, on a déjà presque tout vu et tu auras tout le temps de découvrir le reste plus tard. Je retourne bientôt chez moi et j'aimerais qu'on profite du voyage pour parler de tout ce qu'on n'a pas eu le temps de se dire. Je te ramène à l'heure pour ton travail et, promis, je n'aurai aucun geste déplacé !

Annie éclate de rire. Puis l'image de Steve et de Katiana s'impose de nouveau à son esprit…

— D'accord, Jeffrey. Donne-moi une heure, il faut que je trouve une pension pour Daf-nez et que je rassemble mes bagages. Ensuite, viens me chercher à ma résidence.

Le sourire de Jeff réchauffe un moment le cœur d'Annie. *Ah ! si la vie pouvait toujours être aussi facile…*, se surprend à rêver la jeune femme.

Martin Lescot, le représentant de l'AMA, sort du taxi après avoir payé la course quarante zlotys, un peu plus de quinze dollars. Le long trajet l'a éloigné du centre-ville pour l'amener dans les quartiers populaires de la banlieue de Cracovie où vivent les parents d'Aleksander Vojtech. Ils ont refusé l'autopsie, prétextant qu'il s'agissait d'une pratique contraire à leur religion. Martin espère les faire changer d'avis. L'autopsie d'Alek est essentielle pour relier Vojtech à Biernat, puis Biernat à Katiana.

La maison en brique noircie par la pollution des usines de charbon ressemble aux milliers d'autres de la banlieue. La traductrice précède Martin en poussant la barrière qui clôture un minuscule carré de terrain couvert d'une mince couche de neige grisâtre. La porte de la demeure s'ouvre avant qu'ils n'aient frappé. Un homme de taille moyenne, le crâne chauve, redresse un moment ses épaules voûtées et, sans serrer la main des arrivants, leur fait signe de le suivre au salon. Une dame âgée, vêtue de noir, est assise sur un canapé défraîchi. À ses côtés, une jeune femme d'une trentaine d'années lui tient la main. Son regard abattu

fixe le mur devant elle. On la présente comme étant Aliss, la conjointe de fait d'Aleksander. On précise que, n'étant pas mariée au défunt, la jeune femme n'a pas droit de participer aux décisions légales. Elle est donc exclue de la discussion qui se prépare. Sur la table basse s'entassent des photographies d'Aleksander, à tous les âges, mais principalement en biathlète, les skis aux pieds, le fusil accroché dans le dos. Sur un des clichés, le jeune Alek figure aux côtés de ses parents et de deux hommes. L'un d'eux est Klemens Biernat.

— Mes condoléances, monsieur et mesdames. Votre fils, votre conjoint était…

Le père endeuillé interrompt Martin d'une voix étonnamment forte. Ses yeux fuyants se posent tour à tour sur sa femme et sur une photo que Lescot a prise dans ses mains. Ses propos sont repris en français par la traductrice :

— Je sais pourquoi vous êtes ici. Et ma réponse, ainsi que celle de ma femme, est *non*. Mon fils est mort et rien de ce que vous direz ou ferez ne le ramènera à la vie. Laissez-nous pleurer notre Alek, monsieur. Allez-vous-en, s'il vous plaît…

Ceci dit, le vieil homme réprime un sanglot et se tait. La dame reste immobile dans le fauteuil, puis lâche la main de sa belle-fille pour serrer nerveusement un coussin en dentelle, comme on serre un enfant contre soi. Martin inspire profondément et, contre toute attente, s'assoit en face de la famille éprouvée. Il inspecte la pièce lentement et note la présence d'un téléviseur au plasma et d'un système de cinéma maison qui, bien qu'à moitié cachés sous une housse, jurent avec les meubles d'une autre époque, les disques en vinyle et les livres écornés enfermés derrière des portes de verre. Le regard inquisiteur de Lescot n'échappe pas au Polonais qui rougit.

— Monsieur Vojtech, reprend Martin, votre fils est mort, mais sa mort n'est pas naturelle. Si nous pouvions faire une autopsie, nous comprendrions mieux ce qui l'a arraché, si jeune, à la vie et à votre affection…

— Il a eu un cancer, comme mon frère et ma mère. Ça ne pardonne pas, dans la famille.

— Et pourtant, vous êtes toujours vivant, monsieur Vojtech. Quand on est en forme,

on ne meurt pas si vite d'un cancer du foie. Nous pensons qu'on a volontairement précipité la mort d'Alek en lui donnant des substances dopantes.

Aliss se met à pleurer silencieusement. La mère d'Aleksander dévisage son époux d'un air suppliant, mais l'homme lui lance un regard sévère.

— Madame Vojtech, poursuit Martin, si vous savez quelque chose, vous devez nous aider. Si ce n'est pour honorer la mémoire de votre fils, faites-le pour ces athlètes qui risquent de subir le même sort qu'Alek. Faites-le pour ces mères qui devront peut-être pleurer leur fils ou leur fille. Une mère ne devrait jamais enterrer son enfant...

Madame Vojtech ouvre la bouche pour parler, mais son conjoint s'objecte.

— Non, Verna, tais-toi. Ça ne servirait à rien...

Cette fois, l'interprète ne traduit pas, mais se lance dans une longue tirade en polonais. Sa voix, habituellement monocorde, se teinte de colère. Au bout de quelques instants pendant lesquels elle tient tête

au père, ce dernier baisse les yeux et demande, comme à regret :

— Où dois-je signer ?

Surpris, Martin sort de sa valise le document autorisant l'autopsie et un stylo. Dix minutes plus tard, dans le taxi qui les ramène en ville, Martin, encore sous le choc, se tourne vers la traductrice :

— Comment avez-vous réussi ce miracle ?

— C'est simple, je leur ai dit qu'il était évident qu'on avait acheté leur silence et que cela les rendait complices du meurtre de leur propre fils…

— Avez-vous déjà songé à vous lancer dans une carrière policière ? Vous seriez excellente pour tirer les vers du nez des criminels.

— J'y suis allée avec mon cœur. J'ai été élevée dans ce quartier et les parents d'Aleksander sont de bonnes gens. Tout ça les dépasse, voilà tout. Ils ont peur.

— De qui ont-ils peur, ont-ils révélé un nom ? Je mettrais ma main au feu que c'est Biernat qui leur a offert le cinéma maison pour les soudoyer et les empêcher de signer l'autorisation d'autopsie. Quelqu'un vient

peut-être juste de passer et nous l'avons manqué de peu : la chaîne stéréo n'a pas encore été installée, les fils ne sont pas branchés et il y a un collant sur le tiroir du DVD.

— Oui, tous ces appareils sont neufs, mais ils ont pu être livrés il y a déjà plusieurs jours. Après avoir perdu un fils, seriez-vous pressé à ce point de vous asseoir devant un bon film ? Biernat cherche probablement à se donner bonne conscience, mais les Vojtech n'ont que faire de ces babioles. C'est pour leur petit-fils, Jorick, qu'ils ont peur. Ils auront besoin de protection, maintenant qu'ils ont accepté de nous appuyer. Pouvez-vous assurer leur sécurité ?

— Oui, vous pourrez leur dire qu'ils seront protégés s'ils continuent de collaborer. Nous allons demander l'assistance d'Interpol.

Martin sort son cellulaire et compose le numéro du médecin légiste qui l'attend à l'entreprise de pompes funèbres.

— Ramenez la dépouille d'Aleksander Vojtech. Nous avons enfin l'autorisation de procéder à son autopsie. J'arrive dans vingt minutes.

Chapitre 17

Directions opposées

Sur l'autoroute *Sea to Sky* en direction de Vancouver, Steve peste contre le trafic intense. Trois heures plus tard, et à bout de patience, il gare la voiture dans le stationnement de l'hôpital et grimpe à l'étage des soins intensifs. Sur place, une infirmière lui indique la direction de la chambre où Katiana a été transférée. Le policier triture nerveusement le bouquet de fleurs qu'il a apporté pour la malade. Un inconnu est au chevet de cette dernière et de nombreuses fleurs décorent déjà sa chambre. L'étranger parle à voix basse. Il est penché sur Katiana. *Ces deux-là se connaissent bien*, pense Steve avant de toussoter pour signaler sa présence. L'homme sursaute, puis s'excuse auprès de la malade en lui transmettant, à voix haute, les salutations des membres de la délégation.

Steve plante son regard dans celui du visiteur qui s'éclipse. Il croit y déceler à la fois de la curiosité et un certain agacement. Puis le policier s'approche de Katiana et la serre dans ses bras.

— Je suis tellement content que tu sois réveillée. J'ai eu si peur…

— Oh ! Steve, on m'a tout raconté. Je te dois la vie, à toi et à ton amie Annie.

— Et à son chien surtout. Daf-nez. C'est cette bonne bête qui a insisté pour retourner vers… cette souffleuse.

Steve frissonne au souvenir des lames de l'engin mortel. Il pose sa main sur l'épaule de la jeune femme.

— Je ne me souviens de rien, Steve. C'est paniquant… le noir total. Je me rappelle t'avoir appelé, durant la soirée, mais il n'y a plus rien après. C'est ce que je disais à l'homme tout à l'heure.

— Celui qui vient de sortir ? Quel est son nom ? demande Steve, soudainement intrigué.

— Aucune idée. Je déteste ça…

— Pourquoi est-il venu te voir ?

— Pour me transmettre les vœux de la délégation.

— Laquelle ?

— Il ne l'a pas mentionnée... J'ai imaginé que c'était celle avec laquelle je travaillais.

— Tu te souviens de moi, mais pas de lui, qui fait pourtant partie de ta délégation... Et tu lui as raconté autre chose ? insiste Steve.

Katiana regarde le policier en faisant signe que non, secouant la tête d'un air découragé. Puis elle continue :

— Il faut croire que cet accident m'a aussi fait perdre mes super dons d'agent secret. Que je suis nulle ! Je lui ai expliqué que j'ai perdu la mémoire, que je ne saurais pas identifier mon agresseur... Tu penses la même chose que moi ?

Steve sort son cellulaire et appelle Brown, l'agent de la GRC responsable de l'enquête pour l'enlèvement de Katiana.

— Brown, c'est Steve Garneau. Je suis avec Katiana Ivanovna à l'hôpital... Oui, elle est réveillée... Non, malheureusement, elle ne peut nous fournir aucune piste. Sa mémoire est troublée, pour l'instant... Il faut l'intégrer de toute urgence dans le

programme de protection des témoins. J'ai de bonnes raisons de croire que je viens de croiser le gars qui a attenté à sa vie... Oui, on devrait pouvoir dresser un portrait-robot.

Steve raccroche et se tourne vers la jeune femme.

— Je file pour voir si notre lascar est encore dans les parages. Brown sera là d'ici quelques minutes. On va poster un policier à ta porte, vingt-quatre heures sur vingt-quatre. Tu ne parles à personne et si tu vois quelqu'un de louche, appelle-moi immédiatement.

Katiana prend la main de Steve et la retient un moment, un sourire tendre et moqueur aux lèvres :

— Tu es une vraie mère pour moi, Steve.

— Ne joue pas l'héroïne, Katiana, ta licence d'espionne est expirée.

Steve se penche et embrasse la jeune femme sur la joue. Puis il sort précipitamment de la chambre avant d'être obligé de justifier la confusion qui l'envahit.

Annie monte dans le Hummer rouge de Jeffrey. D'abord, elle se sent un peu mal à l'aise dans ce véhicule, à côté de son ancien copain, mais elle finit par se détendre, s'extasiant devant les beautés de la route qui serpente dans les vallées encaissées des Rocheuses canadiennes.

— On a sept cents kilomètres à parcourir, Annie. Tu ne vas tout de même pas prendre des photos toutes les fois que tu vois une nouvelle montagne !

— Mais c'est tellement beau !

— C'est vrai. Alors, tu ne regrettes pas ta décision ?

— Donne-moi une bonne raison de regretter… Oh ! et puis non ! se ravise-t-elle, ne m'en donne pas. Tu as promis de bien te tenir.

Jeff rigole, l'air frondeur. Ce même air que la jeune femme aimait tant autrefois. Annie le prend aussitôt en photo.

— Attention, dit-elle en riant, j'ai des éléments de preuve, si tu oses ! Parle-moi de ta compétition. Deuxième, c'est génial !

— Ouais, on aurait préféré finir premiers, mais l'Allemagne nous a devancés de trois centièmes de seconde.

— Fiou! même pas le temps d'un battement de cœur! Est-ce qu'ils ont encore un programme de dopage national, comme lors des Jeux de Montréal[20]?

— Sûrement pas. À l'époque, tout le monde les soupçonnait. Il n'y avait qu'à regarder les nageuses est-allemandes, les épaules larges comme des réfrigérateurs. On doutait même de leur sexe. Les athlètes de la RDA pulvérisaient les records les uns après les autres et encaissaient toutes les médailles. Une vraie honte, quand on y pense!

— Et tu crois que c'est mieux, aujourd'hui?

— D'une certaine façon, oui. Maintenant, tout le monde a accès à ces drogues. Au moins, il y a une certaine justice.

— Ben voyons, Jeff! s'exclame Annie. Où vois-tu une justice là-dedans?

---

20. Aux Jeux olympiques de Montréal, en 1976, la République démocratique allemande (RDA) a remporté quarante médailles d'or, au deuxième rang derrière l'URSS et devant les États-Unis. En novembre 2009, on a découvert des documents du service de la sûreté intérieure de la RDA, la STASI, confirmant que des mallettes contenant des produits dopants avaient été jetées dans le fleuve Saint-Laurent. Le pays avait un programme national de dopage pour redorer son image mondiale. Plusieurs athlètes étaient dopés à leur insu.

— Je blague… Oh ! À vrai dire, je ne blague pas. Actuellement, beaucoup trop d'athlètes se droguent. Pour rivaliser avec eux, tu es presque obligé d'en faire autant.

— Explique-toi, Jeff. Ça me dépasse. Prendre des drogues pour gagner des médailles, tu trouves que c'est correct ? Moi, j'appelle ça tricher.

— La pression est forte, Annie. Si tu veux gagner, tu dois t'entraîner. Et pour être capable de t'entraîner, tu as besoin de sous. Or, l'argent ne pousse pas dans les arbres. Il vient des commanditaires. Et si tu veux te faire remarquer d'eux, tu dois gagner. Alors pour être le meilleur, il faut que tu fasses comme les autres et un peu mieux, quitte à aider ta chance… C'est un cercle vicieux. Le sport de haut niveau, c'est ça : une belle pyramide avec une face cachée.

— Mais pourquoi vouloir gagner à ce prix ? Je n'imagine pas mettre ma santé et mon intégrité en péril pour une médaille.

— Gagner, c'est un atavisme. C'est dans notre sang, dans nos gènes. L'histoire de l'humanité, de l'homme des cavernes à aujourd'hui, est une lutte pour la survie où

seuls les meilleurs s'en tirent : *survival of the fittest,* comme disait Darwin. La compétition, Annie, tout n'est que compétition.

— Tu exagères. L'homme a évolué depuis…

— Pas tant que ça. On ne se bat plus à coups de gourdin pour une peau de mammouth, c'est vrai, mais on se bat tout de même, que ce soit en complet-veston à la Bourse ou en poussant un crayon durant un examen corporatif. Le fait est que peu importe l'arène dans laquelle on se bat, à moins de gagner, on est ignoré.

— C'est de l'élitisme primaire, ton truc ! Tu simplifies les choses à outrance. Tu devrais faire attention à tes paroles. Les jeunes te regardent et t'écoutent. Là, c'est comme si tu leur disais : *le sport n'est pas un jeu, dope-toi et tu vas gagner de l'argent en plus d'être célèbre…*

— Annie, les enfants n'ont pas besoin de moi pour apprendre ce qu'est la rivalité sportive. Ils y goûtent dès leur plus jeune âge. Ça commence sur les patinoires, durant les parties de hockey, alors que les parents se battent entre eux à cause d'une décision de l'arbitre. Tout ça sans oublier les « Sors

tes poings, mon fils, si tu veux te faire remarquer ! » et les « Tu aurais pu faire mieux, à quoi as-tu pensé ? Ce n'est pas en jouant comme ça que l'entraîneur va te mettre sur la première équipe ».

— Là, proteste Annie, tu mets tout sur le dos des parents. C'est trop facile.

— Ils ne sont pas responsables de l'ensemble du problème, mais ce sont les « premiers » responsables. Parfois, les parents reportent sur leur progéniture leur propre besoin de performer. Les sportifs ratés espèrent secrètement élever des champions. Et comme les jeunes cherchent naturellement à plaire à leurs parents et aux adultes en général, ils apprennent à vouloir gagner.

— Tu penses que ce serait mieux de ne pas mettre les jeunes en compétition ?

— Non, ce serait aller contre la nature humaine. Mais il ne faut pas être hypocrite et se surprendre que des jeunes conditionnés depuis toujours à gagner deviennent des athlètes dopés. Ceux-là ont besoin du regard des autres, ils ont besoin de médailles et de trophées pour se sentir dignes de l'amour de leurs parents, d'abord ; ensuite, de leur entraîneur, de leur ville et de leur nation.

Tu as sûrement vu à la télévision les foules d'admirateurs qui viennent accueillir un médaillé olympique à sa sortie de l'avion. Des gens de la famille, des amis, oui, mais aussi d'illustres inconnus. L'athlète est acclamé comme une idole. C'est sa minute de gloire ! Certains sportifs de haut niveau s'entraînent pour ça, ils souffrent pour ça, c'est leur paie pour tous les efforts qu'ils ont fournis. Et c'est encore pour ça qu'ils s'injectent des produits chimiques sans penser aux conséquences à long terme.

— Et toi, tu en prends des produits dopants ?

— Je te dirais non, me croirais-tu ? J'y ai déjà touché, quand je faisais du sport de rue, juste pour augmenter les sensations fortes, mais on ne peut pas parler de dopage sportif dans mon cas. Je me suis vite rendu compte que les « lendemains de veille » étaient trop difficiles. J'ai laissé tomber. Maintenant, je n'en prends pas, par choix, mais aussi parce que le sport que je pratique n'en requiert pas. Il y a bien un moment, au plus quelques secondes, où je dois fournir un maximum d'énergie pour pousser le bobsleigh, mais pour cela, je me contente

de m'entraîner. Je fais de la musculation, des poids et haltères. Mais pour le reste, j'ai uniquement besoin de concentration. Oh ! Je sais que certains prennent des amphétamines, de l'éphédrine, des décongestionnants, des produits pour l'asthme et même des dérivés du Ritalin pour mieux focaliser. Mais j'y arrive aussi bien en pratiquant le yoga, en faisant de la visualisation mentale ou des trucs sans risque de développer de la dépendance, de l'agressivité, de l'hypertension et des troubles cardiaques.

Annie se met à rire.

— Il me semble que je te vois en position du lotus, quelques minutes avant le départ !

— Je préfère que tu me voies comme ça plutôt qu'en junkie du sport.

— Un instant, Jeffrey, tu tiens deux discours, là ! Depuis tout à l'heure, tu m'expliques que le dopage, c'est un incontournable, et là tu traites de junkies ceux qui prennent ces produits. Éclaircis ta pensée, s'il te plaît.

Jeffrey soupire :

— Temps mort, Annie. C'est plus compliqué que ça en a l'air. On fait une pause et je t'en reparle.

Chapitre 18

Dopage et dopés

L'employé de la morgue de l'hôpital du Saint-Esprit à Cracovie reçoit en maugréant le cadavre d'Aleksander Vojtech. Les nombreux allers-retours entre l'aéroport, l'hôpital, la morgue et les pompes funèbres ont eu raison de la fraîcheur du corps. Assisté par la pathologiste canadienne Leslie Gills, le médecin légiste polonais pratique une incision au niveau du thorax et accède aux organes internes du défunt. Après avoir dégagé les tissus conjonctifs, il s'exclame :

— Gills, regardez l'état des organes ! Ils présentent tous des signes d'hémorragie. Le foie est nécrosé et... oh ! attendez... des côtes sont cassées... et l'extrémité de celle-ci s'est enfoncée dans le foie, comme s'il avait reçu un coup. La cassure est récente, je dirais... un peu avant son décès.

— Rien ne figure à son dossier, note Leslie après avoir feuilleté les documents pertinents obtenus auprès de l'hôpital de Vancouver. S'il s'est fait ça récemment, il ne s'en est jamais plaint…

Martin Lescot, qui surveille la scène un peu à l'écart, s'approche et se penche au-dessus du cadavre, en tenant un mouchoir contre son nez. Il demande :

— D'après ce que vous voyez, pouvez-vous conclure qu'il est mort du cancer du foie ?

— Ce serait un peu prématuré de l'affirmer. Je pense qu'il y a autre chose. On va faire tous les prélèvements et les analyses biochimiques et vous aurez vos réponses d'ici quelques jours.

— Pas avant ? Je n'ai besoin que d'une preuve formelle pour coincer Biernat. Je ne voudrais pas que mon principal suspect ait le temps de disparaître dans la nature…

— Alors vous aurez tout pour demain, monsieur Lescot, demain.

➩

Après avoir mangé une soupe dans un petit restaurant routier, Annie insiste pour conduire. La sensation de rouler dans un camion de l'armée s'estompe peu à peu et la conversation tourne un moment autour du copain d'Annie, prétendument resté à l'attendre au Québec. Mal à l'aise, la jeune femme change rapidement de sujet, ce qui ne berne pas Jeffrey.

— Tu es sûre que ça va, avec ton copain ? Je te trouve bien peu loquace à son sujet. Loin des yeux, loin du cœur ?

— Non, enfin, peut-être..., murmure Annie en fixant le chemin devant elle, attentive à ce que Jeff n'interprète pas sa réaction comme une porte grande ouverte sur l'aventure.

Elle se ressaisit et dit :

— Allez, Jeff, tu m'intrigues avec ton histoire de junkies.

Jeffrey sourit, conscient d'avoir ébranlé les défenses de la jeune femme.

— D'accord, mais ne pense pas que tu m'as dupé, avec ton copain. On y reviendra... Bon, mets-toi à la place d'un jeune sportif qui veut intégrer un réseau professionnel. Il sait qu'il n'y arrivera probablement pas

avec ses résultats actuels, mais que les choses peuvent changer s'il se fait aider un peu. Du moins, c'est ce que *les autres* lui disent. Il va donc voir le médecin de l'équipe, un gars qui s'y connaît. Je ne crois pas que tous les médecins soient corrompus, mais les athlètes se passent le mot : « Moi, je suis allé voir untel et depuis j'ai amélioré ma puissance de tant, mon poids de tant ou mon chrono de tant. Et ce n'est pas dangereux, je n'ai pas eu d'effets secondaires, je réussis à passer les contrôles antidopage sans problème, le parfait bonheur, quoi ! » En admettant que notre ami le bleu ait encore une hésitation, on lui affirmera que, de toute façon, ses adversaires en prennent aussi. Après ça, comment peut-il résister à la tentation du dopage ? D'autant plus que notre jeune athlète reçoit ses drogues d'un médecin, d'un homme qui a fait de longues études, d'un professionnel qui a juré, en prêtant le serment d'Hippocrate, de préserver la santé de ses patients. Mais ce que notre petit copain ignore, c'est que *les autres* ont oublié de lui parler de leurs problèmes d'agressivité, de leurs difficultés érectiles, de leur pression qui monte en flèche et de leur

cœur qui fait de l'arythmie. *Les autres* préfèrent garder ça pour eux tant que les bons résultats sont au rendez-vous et jusqu'à ce qu'il soit trop tard. Tu sais, le syndrome de mort subite du sportif, ça arrive très souvent à des athlètes comme celui que je viens de te décrire, un gars qui n'avait pas de problèmes…

— L'ignorance n'est jamais une excuse. J'ose croire qu'avec toute l'information disponible sur Internet et tous les messages antidopage, les jeunes ne se font plus prendre aussi facilement.

— Tu veux dire avec toute l'information *contradictoire* qui circule sur Internet… Sur le Web, tu peux tout acheter : des agents anabolisants pour faire grossir tes muscles, te donner de la force, de la puissance et de l'endurance ; des amphétamines et des stimulants pour accroître ta concentration et allonger la durée de tes périodes d'entraînement ; des corticostéroïdes pour diminuer ta fatigue et ta perception de la douleur, des bêtabloquants pour diminuer ton rythme cardiaque et tes tremblements ; et, finalement, un peu de marijuana pour que tu restes calme avant la compétition.

Ah oui, j'oubliais : il y a aussi les agents masquants, car si tu te fais prendre à un contrôle antidopage avec tous ces produits dans le corps, tu es bon pour manquer les deux prochaines années de compétition. Quand tu marines dans tout ça, il est facile d'ignorer les signes de détresse que t'envoie ton corps.

— Mais tu me parles de produits qui étaient à la mode il y a vingt ou trente ans...

— Tu penses ? C'est incroyable le nombre d'athlètes qui se font encore coincer avec des substances aussi « banales » dans le sang. Et ceux qui avalent ces potions ne sont pas tous des sportifs de haut niveau. Il y a monsieur Tout-le-Monde qui veut maigrir, ou avoir de beaux abdominaux sans trop d'efforts, il y a aussi celui qui se remet à l'entraînement à quarante ans et qui voudrait avoir le même corps qu'à vingt ans... Mais tu as raison, si tu as quelques centaines de milliers de dollars à investir, il y a l'EPO, le dopage génétique, les cellules souches, la prédétermination à la naissance de gènes surexprimés. On cherche de plus en plus à créer des superathlètes, des machines. Chaque nouveau médicament créé par l'industrie pharmaceutique, avant même

qu'il n'arrive sur le marché, est analysé au cas où il pourrait améliorer telle ou telle fonction physiologique de l'athlète. Et on teste du même coup comment il pourrait être masqué. Actuellement, la rumeur veut que de nouveaux produits dopants soient disponibles sous forme de simples médicaments que tout le monde ingurgite : des aspirines, du sirop pour la toux, des vitamines. Ni vu ni connu, les revendeurs ne risquent même plus de se faire prendre.

— Dans des médicaments en vente libre ? C'est effrayant ! Sérieusement, Jeff, en as-tu déjà vendu ?

— Quand on est plongé dans le milieu sportif, les offres ne manquent pas. Je connais un gars qui vend des produits pour financer ses activités sportives. Il dit qu'il va arrêter quand il aura suffisamment d'argent pour boucler ses fins de mois. Pourtant, je trouve qu'il mène une vie de pacha…

— Mais c'est dégueulasse ! Il n'est pas mieux qu'un revendeur de drogue. Pourquoi ne le dénonces-tu pas ?

Jeffrey inspire profondément. Il regarde les derniers rayons du soleil couchant

qui drapent les montagnes de voiles roses et mauves.

— C'est l'amie ou la policière qui pose la question ?

— Voyons, Jeff, tu sais que je ne suis pas ici à titre de policière. Mais si vraiment tu ne prends rien et que tu n'as rien à cacher, tu devrais parler.

— Ce n'est pas si simple.

Un long moment, les deux amis observent en silence la route défiler. Jeffrey sort le thermos de café et le vide dans la tasse d'Annie. Puis il épluche deux clémentines et en offre les quartiers à la conductrice. La jeune femme reprend doucement :

— Moi, j'ai commencé à douter des athlètes aux derniers Jeux olympiques.

— Tu as été naïve longtemps !

— Ah bon ! Je croyais que j'étais idéaliste. C'était jusqu'à ce que je voie un athlète rafler l'or à chaque épreuve à laquelle il participait, avec une longueur d'avance sur tous ses concurrents. D'abord, je me suis extasiée, j'ai trouvé ça génial, puis j'ai douté. Même quand les résultats au contrôle antidopage se sont avérés négatifs, j'ai continué à me méfier. Je me

suis dit qu'il avait réussi à cacher son jeu et qu'il serait probablement éliminé dans trois ou quatre ans, quand la science antidopage aurait rattrapé la science du dopage. Puis, au fond de moi-même, j'ai eu des remords et j'ai pensé: «Et si c'était vrai, si j'avais devant moi un athlète propre, intègre? Nous serions des millions à le soupçonner pour rien.»

— Heureusement, il en reste de ces sportifs propres.

— Mais qui les croira? ajoute Annie en fixant Jeffrey avec un air presque implorant. Ils auront beau plaider leur innocence, le sport entier semble coupable. Il en sera ainsi tant que ceux qui prennent des substances illicites s'en tireront et que ceux qui savent les protégeront.

Oui, je sais… Le principal allié du dopage, c'est le silence.

— Et l'hypocrisie. Avant de me rendre aux Jeux, j'ai consulté le site de l'Agence mondiale antidopage. J'y ai trouvé une lettre ouverte d'un médecin à l'intention de ses confrères de médecine sportive. Il demandait à tous de s'insurger contre les pratiques sportives cherchant à sublimer les limites du

corps humain. Des limites que le véritable sport et la médecine respectent suivant l'adage: *un esprit sain dans un corps sain.* À la fin de son texte, il se permettait cette comparaison: est-ce qu'un médecin confronté à la torture devrait proposer une assistance médicale afin de la rendre moins destructrice pour les victimes? Non, c'est absurde. Ton copain, il n'est pas mieux que le bourreau qui tient le fer chauffé à blanc.

Jeffrey ne répond pas. Il se mord la lèvre et fixe la route. Au bout d'un moment, Annie reprend:

— Y a-t-il une solution? Doit-on cesser d'organiser des Jeux ou des manifestations sportives? Soumettre les athlètes au détecteur de mensonges, interdire les cheveux rasés, former des chiens ou des abeilles dépisteuses de produits dopants?

— La répression, ça fonctionne un temps. Non, je crois qu'il faut plutôt changer les mentalités, et ce, dès le plus jeune âge. Faire comprendre aux jeunes que se doper, c'est tricher. Et tricher, c'est un crime. Mais ça, il va aussi falloir le faire comprendre au public, aux parents, aux entraîneurs et à ceux qui commanditent les athlètes.

— Tant qu'il y aura de l'argent à faire, le dopage restera.

— Si le sport était subventionné par l'État, ce serait différent. Il n'y aurait pas cette course aux commanditaires, ou aux salaires de plusieurs millions de dollars, comme dans les ligues professionnelles. Mais le gouvernement a d'autres priorités. Alors, il faut cesser de cautionner le crime et de prétendre que le dopage est inévitable. La société doit apprendre que la défaite, c'est aussi une façon de gagner. Que l'on peut grandir dans l'échec aussi bien que dans la réussite. Sans oublier que la véritable victoire est d'abord celle que l'on remporte sur soi. C'est s'améliorer, suer et ensuite, peut-être, être récompensé pour ses efforts.

— Crois-tu qu'on y arrivera un jour ?

Le regard de Jeffrey s'illumine soudain.

— Je ne sais pas, mais en attendant on arrive enfin à l'hôtel ! annonce-t-il gaiement en invitant Annie à garer le Hummer dans le rond-point devant le hall d'entrée. Les arbres illuminés et les sculptures de glace en forme d'inukshuk et d'anneaux olympiques rappellent aux deux amis que, même

aussi loin de la côte du Pacifique, ils sont toujours dans l'atmosphère des Jeux.

— Déjà ! s'exclame Annie. C'est la première fois que sept cents kilomètres me paraissent aussi courts.

Dans le somptueux hall du Fairmont Château Lac Louise, Annie cesse de respirer. Elle rattrape Jeffrey à la réception et l'emmène un peu à l'écart.

— Eh ho ! Minute ! chuchote-t-elle, affolée. Je ne peux pas me payer un hôtel aussi chic.

— Je t'ai dit que je t'amenais en voyage, ça comprend aussi le coucher. Fais-moi confiance.

— Mais..., proteste Annie en rougissant, on ne pourrait pas trouver une petite auberge ? Quelque chose d'un peu moins... luxueux ?

— Laisse-moi faire. J'ai un tarif privilégié avec mon commanditaire. Aussi bien que ça serve ! Ne t'inquiète pas, tu vas adorer la place.

Quelques instants plus tard, Jeffrey rejoint Annie avec une moue indécise. La jeune femme a l'impression d'avoir devant

elle un gamin qui s'apprête à demander un cadeau de Noël extravagant.

— L'hôtel est bondé à cause des Olympiques. Il ne reste que la suite « or ». Mais ils nous font une réduction, souper et déjeuner inclus et…

— Quel est le problème, alors ? le coupe Annie, qui n'en revient pas de leur chance.

— C'est que, dans la suite, il n'y a qu'UN très grand lit… Mais promis, juré, je ne te toucherai pas !

Annie, le front plissé par l'incertitude, pense furtivement à Steve. Puis, l'image de Katiana s'impose, comme d'habitude… La jeune femme éclate de rire :

— Jeffrey Hardy, si tu crois qu'un gamin en collants moulant peut me faire peur…

Chapitre 19

Le piège se referme

Klemens Biernat répond à son téléphone cellulaire, attend quelques secondes sans parler, puis raccroche. Il regarde autour de lui, inquiet. Il se secoue et grommelle entre ses dents :

— Je n'aime pas ça, je n'aime vraiment pas ça...

Trois fois aujourd'hui, il a reçu des appels anonymes. Le silence au bout du fil. Et bien sûr, numéro inconnu. Après les deux premiers appels, il s'était cru victime d'un mauvais plaisantin. Rien de plus banal. Mais maintenant, un malaise sournois l'envahit. Il regarde par la fenêtre de sa chambre et se convainc qu'il y a de plus en plus de gardiens de sécurité autour du bâtiment qu'il occupe avec sa délégation. Il tremble

en songeant à l'agent Brown qu'il a croisé à deux reprises, aujourd'hui. Chaque fois, ce dernier avait ouvert la bouche comme pour lui poser une question, puis s'était ravisé avec un petit sourire.

Ils me dévisagent tous avec un drôle d'air. Il faut que ça cesse ! pense Biernat en se dirigeant vers la salle de bain. Il ferme la porte derrière lui et commence à chercher avec fébrilité la présence de microphones et de caméras. Rien. Il respire un grand coup pour se calmer, sans succès. La vue des contenants d'acétaminophène l'insupporte. Il prend un sac de sport et les jette dedans, pêle-mêle, de même qu'un petit cahier noir et quelques fioles non identifiées. Il s'habille en hâte, sort dans le stationnement et compose de mémoire un numéro sur son téléphone portable.

La porte de la résidence d'Annie est débarrée. Après y avoir cogné deux ou trois fois, Steve entre. À plusieurs reprises, il a tenté de joindre la jeune femme sur son cellulaire, mais en vain. Plusieurs fois, il a

écouté le virulent message d'Annie avec un sentiment grandissant de confusion :

« Steve, t'as pas choisi ta journée pour me faire ce coup de cochon ! Je ne suis pas une vieille chaussette qu'on abandonne au fond d'un placard. Et certainement pas pour une poupée russe ! »

— Allo ! Il y a quelqu'un ? demande-t-il en pénétrant dans la cuisine.

Il remarque aussitôt le désordre inhabituel qui règne dans la pièce. Le poêlon plein de gras figé, l'odeur entêtante du bacon brûlé, les bougies à moitié consumées sur la table. Il baisse la tête, submergé par une vague de remords. Lorsqu'il la relève, il rencontre le regard narquois de Malcolm.

— Un jour on gagne, un jour on perd. C'est le mec médaillé en bobsleigh qui l'a emporté, cette fois. C'est sûr que ça allume les filles, un gros médaillon sur une poitrine musclée. Elle est partie avec lui, sa planche à neige et son sac de voyage. Désolé pour toi, mon vieux, mais j'ai l'impression que c'est moi qui l'aurai dans mon lit la prochaine fois. J'y travaille très fort, tu sais…

Steve serre les poings, prêt à sauter à la gorge de Malcolm, mais il se ressaisit juste

à temps. *Après tout, je n'ai qu'à m'en prendre à moi-même. Annie avait besoin de moi. Je n'étais pas là…*

— *Hasta la vista, loser!* s'exclame Malcolm en exhibant ses biceps de façon arrogante.

Steve explose. En deux pas, il est sur Malcolm, le plaque au mur et lui crache au visage:

— Tu n'y touches pas, *loser*, sinon je te le ferai regretter le restant de ta vie.

— De l'acétaminophène? s'exclame Martin Lescot. C'est tout ce que Vojtech avait dans les veines? Et ça a été suffisant pour le tuer?

— La surdose médicamenteuse peut provoquer une intoxication sévère du foie qu'on appelle une hépatite aigüe cytolytique, répond le médecin légiste Gills.

— Mais pourquoi avait-il pris autant d'acétaminophène? Voulait-il mettre fin à ses jours sachant qu'il avait un cancer?

— Il n'avait pas de cancer. Il a dû prendre à plusieurs reprises des doses trop fortes d'acétaminophène. En surdoses

répétées, le corps peut réagir au médicament comme lors d'un choc anaphylactique, une réaction allergique grave. C'est ce qui a détruit son foie. Seule une greffe aurait pu le sauver.

— Vous dites qu'il n'avait pas de cancer ?

— Il n'avait pas de cancer, répète Gills. Si les bons tests avaient été faits, les médecins l'auraient vu. Je ne comprends pas pourquoi ils ont diagnostiqué un cancer inexistant.

— C'est peut-être Biernat qui leur a suggéré qu'il avait un cancer, et comme c'était son patient, ils n'ont pas mis en doute le diagnostic.

— C'est possible. Il faudra que ce soit vérifié.

Martin réfléchit. Quelque chose lui revient en mémoire. *L'autre athlète, celui décédé en plein entraînement sur la piste à bosses, ce Milan Harakova, n'avait-il pas, lui aussi, un médicament comme l'acétaminophène dans le sang ? Ses artères étaient amincies, comme usées prématurément… Avec deux victimes, nous avons peut-être affaire à une filière organisée plutôt qu'à un cas isolé.*

— Pouvez-vous me confirmer que l'acétaminophène l'a tué ?

— À première vue, oui. L'acétaminophène et la côte cassée qui lui a perforé le foie.

— La côte cassée ? Est-il possible de déterminer à quand remonte la fracture ?

— Dans les heures précédant sa mort. Peut-être durant son transfert, peut-être juste avant.

— Ne se serait-il pas plaint ? Quand même, une côte cassée…

— D'après les tests biochimiques, on lui a injecté un anesthésique peu en usage aujourd'hui. Peut-être était-ce pour diminuer la douleur…

— Ou pour l'empêcher de crier ! Eh ! Attendez ! Il y avait aussi des traces d'un tel anesthésique dans le sang de Katiana Ivanovna, la déléguée. Je pense qu'on va avoir quelques questions à poser à Biernat. Merci, docteur Gills, conclut Martin avec un soupir de soulagement. Je vous en dois une. Télécopiez-moi votre rapport complet. J'appelle Interpol, nous avons notre enquête.

— Vous avez un numéro ? demande Brown à l'équipe d'écoute électronique installée dans une camionnette anonyme, dans le stationnement de la résidence polonaise.

— Non, l'appel a été trop court. Mais on a l'essentiel de la conversation. Ils vont se rencontrer près d'un hangar dans le parc industriel. Vous avez tout juste le temps de vous y rendre.

— Qu'est-ce qu'ils veulent y faire ?

— Biernat semblait très nerveux. L'autre avait l'air beaucoup plus calme, comme un professionnel. Biernat a parlé de travail non terminé.

— Katiana ?

— Ils ne l'ont pas nommée, mais ne vous inquiétez pas, on a également des hommes prêts à intervenir à l'hôpital.

— Je ne serai pas à l'aise tant que je ne saurai pas ces deux moineaux en cage, murmure Brown avant de se diriger vers sa voiture de service.

En chemin, il contacte Steve et lui donne rendez-vous. L'agent de la GRC espère que ce dernier pourra identifier le contact de Biernat et confirmer qu'il s'agit bel et bien

de l'homme entrevu au chevet de Katiana. Brown croise les doigts. Si lui-même et son équipe ont de la chance, ils pourront clore cette partie de l'enquête. Ils n'ont pu obtenir de mandat du juge pour mettre officiellement Biernat sous écoute électronique. Ils ont donc dû se contenter d'intercepter les ondes à partir de lieux publics, ce qui leur a réussi, contre toute attente.

Lorsque Steve et Brown arrivent à proximité du hangar, c'est le calme plat. Pourtant, le jeune homme sait que tous les policiers sont déjà en place, installés comme eux derrière les portes coulissantes des bâtiments déserts : un groupe attendant avec microphones et caméras pour surveiller les malfrats à distance, un autre avec des fusils d'assaut, en cas de besoin. Tous reconnaissent que cette partie de l'enquête est excitante mais critique, et que le moindre faux pas, la moindre erreur dans la coordination des opérations pourrait tout gâcher. Bref, ils ne peuvent se permettre de gaffer et de perdre la seule piste qu'ils ont.

L'attente commence. L'heure du rendez-vous est dépassée depuis une dizaine de minutes quand une première voiture se

pointe. Sans se douter qu'il est observé, Biernat gare sa voiture au milieu du stationnement désert. Il attend, se retournant à tout moment pour examiner les alentours, visiblement nerveux. Quelques minutes plus tard, une berline gris foncé se gare près du médecin. Un homme en sort et va s'asseoir dans la voiture de Biernat.

— C'est pas trop tôt, grogne le docteur, agressif.

— Il fallait que je m'assure de ne pas avoir été suivi. Qui est le professionnel, ici ?

— Si vous n'aviez pas manqué la fille, on n'en serait pas là.

— Si vous n'aviez pas si mal travaillé avec vos potions de sorciers, vous n'auriez jamais eu besoin de mes services.

— J'espère bien avoir affaire à vous pour la toute dernière fois.

— Ça, vous pouvez en être certain ! Bon, vous avez toutes les pièces incriminantes ? Vous êtes sûr de n'avoir rien oublié ?

— Non, non, ça va, elles sont toutes là-dedans, maugrée Klemens Biernat en tendant le sac de sport noir avec impatience.

— Voilà, ce n'était pas plus difficile que ça, dit l'homme, sourire aux lèvres en

s'emparant de l'objet. Toutes les preuves vont disparaître...

Avec leurs jumelles, les policiers postés voient soudain le reflet d'une arme et le visage horrifié de Biernat avant qu'il ne reçoive la balle dans la tempe. En essuyant son pistolet, l'assassin sourit de nouveau et murmure :

— Toutes les preuves...

Au moment de sortir de la voiture, le meurtrier détecte un mouvement subtil près du hangar.

— Merde !

La seconde suivante, il est au volant de sa voiture et démarre sur les chapeaux de roues. Les policiers sortent aussitôt de l'ombre et le mettent en joue, l'enjoignant de s'arrêter. Le tueur abaisse sa vitre et vise un premier agent. Celui-ci s'écroule immédiatement, une balle en pleine poitrine. Furieux, son partenaire roule au sol et déclenche la fusillade. Brown a beau hurler et exiger le cessez-le-feu, les tirs ne s'interrompent que lorsque la voiture s'immobilise avec fracas dans un mur du hangar. Le fuyard a les yeux ouverts, fixes, et un flot rouge s'écoule le long de sa nuque. Les

flammes se répandent rapidement autour de la berline accidentée. Quelques secondes plus tard, le véhicule explose dans une boule de feu.

— Qui est l'imbécile qui a fait ça ? rugit Brown. J'avais pourtant spécifié que je le voulais vivant !

— C'est moi, monsieur, avoue un agent en soutenant le regard du chef.

— Est-ce que mes instructions étaient si difficiles à comprendre ? Je le voulais pour l'interroger. Que dois-je faire, désormais ? Parler à ses cendres ?

— Quand mon coéquipier s'est fait descendre, j'ai vu rouge, monsieur…

Brown lève le sourcil et se racle la gorge :

— Je comprends, sergent… Mais il faut absolument apprendre à vous contrôler ! Faites venir l'ambulance, on fera tout pour le sauver.

Brown interpelle ensuite Steve Garneau et l'entraîne un peu à l'écart.

— Ça nous fait trois victimes sur les bras, et tout ça pour rien. Je suis désolé, Garneau, c'était notre seul lien vers vos salauds de *dopeurs*… Au moins laisseront-ils Katiana tranquille, maintenant.

⮯

— Annie, il faut qu'on se parle, lance Steve, alors que la jeune femme pénètre dans la résidence des agents de sécurité.

— Je suis crevée, Steve. J'ai fait beaucoup de route, on jasera demain.

— Non, Annie. Je ne pourrai pas supporter ce silence plus longtemps. Tu ne peux pas savoir comme je me suis inquiété…

Annie et Steve se regardent comme chien et chat.

Plus tôt, le policier avait attendu plusieurs heures dans le stationnement de la résidence de sa bien-aimée. Celle-ci finirait bien par revenir de son escapade ? Seul dans sa voiture, le jeune homme avait eu le temps d'imaginer toutes sortes de scénarios. Sa fureur avait atteint des sommets, puis était retombée tout doucement. L'amertume s'était ensuite installée au creux de l'estomac du policier. Il allait repartir lorsque le Hummer rouge de Jeffrey avait déposé Annie. Steve avait regardé s'éloigner l'extravagant véhicule avant de rejoindre son amoureuse. Il avait préféré ne pas confronter Annie en présence de son ex-ami… Ou

peut-être avait-il craint de perdre le contrôle de lui-même et de sauter sur l'athlète. N'était-ce pas ce qui lui était arrivé face à Malcolm? *Je ne peux plus me faire confiance*, s'était dit le jeune homme. *Et je dois malgré tout préserver ma couverture, même si cela me pèse comme une tonne de pierres lorsque je suis avec Annie.*

— Allez, entre un moment, cède la jeune femme. Mais je travaille tôt demain…

Steve s'empare des bagages et se dirige vers la chambre d'Annie. Au passage, le regard de la policière se pose sur la vaisselle sale encore empilée dans l'évier. Steve se sent coupable.

— Je suis désolée, Annie. Je ne savais pas que ce déjeuner était aussi important pour toi. J'ai fait une connerie…

— Comment va Katiana? demande-t-elle, apparemment indifférente aux excuses.

— Elle va s'en remettre. Elle est sortie du coma le matin… du brunch. Elle souffre d'amnésie parcellaire, c'est-à-dire qu'elle a tout oublié de la nuit où elle a été agressée. On a dû la mettre sous surveillance policière, le tueur l'a harcelée jusqu'à l'hôpital.

Je suis arrivé au moment où il était dans sa chambre.

— Oh! s'exclame Annie en ouvrant de grands yeux. Je suppose que si tu n'avais pas été là, il aurait... terminé sa tâche?

Steve baisse le menton en avalant sa salive avec difficulté. Il raconte la mort de Klemens, la fusillade, puis l'explosion de la voiture qui a emporté toutes les preuves. Et l'impasse dans laquelle son équipe se trouve, sans aucune piste pour continuer l'enquête.

— À mon tour de m'excuser, murmure Annie après un moment. Quand j'ai entendu que tu ne venais pas déjeuner à cause d'elle, j'ai pensé que...

— Je sais, l'interrompt Steve en prenant doucement la main brûlée de la jeune femme entre les siennes. Tout ça, c'est ma faute. J'aurais dû t'expliquer pourquoi j'allais là-bas.

— Et j'aurais dû te laisser un message pour que tu saches où j'étais. Mais ne t'en fais pas, Steve, il ne s'est rien passé... entre Jeffrey et moi. On a seulement parlé.

Steve expire douloureusement, les épaules affaissées. Lorsqu'il ouvre de nouveau la bouche, sa voix tremble:

— Je ne serai pas capable de continuer comme ça, Annie. Je n'en peux plus. Je me rends bien compte que je ne suis pas à la hauteur.

— À la hauteur de quoi, Steve?

— Regarde autour de toi. Ces athlètes, ces jeunes gens qui ont des avenirs brillants, qui sont riches ou qui vont le devenir. Qu'est-ce que j'ai, moi, pour attirer les femmes comme toi?

— Si tu n'as pas encore compris, Steve, depuis le temps qu'on est ensemble... Ce n'est pas l'argent, la gloire ou la promesse d'un avenir doré qui m'attirent chez un homme. C'est ce qu'il y a là, précise-t-elle en pointant du doigt la poitrine de son conjoint. C'est ton cœur qui m'intéresse, Steve, et depuis quelques semaines, je n'arrive pas à l'accrocher. C'était une idée stupide de venir ici, tous les deux, sans pouvoir se voir, se parler, se toucher. Cette mascarade où tu te fais passer pour quelqu'un d'autre, ce n'est pas bon pour nous deux. Je ne te reconnais plus.

— Je ne te reconnais pas, non plus. Je m'ennuie de mon Annie.

— Je m'ennuie de mon Steve.

Les deux jeunes gens s'enlacent avec un sentiment d'urgence, un besoin de se rassurer…

— Jeffrey m'a dit quelque chose…, ajoute Annie, avec précaution, en sentant Steve se raidir et s'écarter d'elle. Il m'a dit qu'un athlète de son entourage vend de la drogue pour se faire de l'argent.

— De la drogue ?

— Des produits de dopage sportif. Il n'a pas voulu nommer la personne, il avait l'air plutôt mal à l'aise.

— Je mettrais ma main au feu que c'est lui, tonne Steve.

— Non ! proteste Annie, furieuse que Steve accuse aussi facilement Jeffrey.

— Qu'est-ce que tu en sais ? S'il en prend lui-même, ou s'il en vend, tu es en conflit d'intérêts. Tu ne dois pas le protéger.

Annie respire profondément, puis acquiesce.

— Tu as raison. Je n'en sais rien. Mais toi non plus, alors ne le condamne pas comme ça, tu ne le connais pas. Tu la veux, l'information, ou non ?

— Et qu'est-ce que je peux en faire ?

— Demain matin, je vais chercher Daf-nez à sa pension. Je vais voir Jeffrey avec elle. Tu restes dans les environs. Si elle sent quelque chose, je trouve un moyen de faire sortir Jeff de la chambre et tu vas voir.

— C'est illégal. On n'a pas le droit de fouiller les appartements des athlètes comme ça.

— Tu es un délégué, c'est ta résidence, et moi je viens voir Jeff pour lui présenter mon chien. Où est le mal ? Ton enquête est aussi morte que Biernat. Vas-tu rester là à ne rien faire ?

— Ça ne marchera pas. On cherche des produits dopants et non des explosifs. Tu m'as déjà dit toi-même qu'on n'entraînait pas de chiens renifleurs pour détecter les produits dopants parce que l'odeur est trop facile à camoufler dans des contenants de plastique et que les chiens ne seraient pas efficaces pour les différencier de produits normaux.

— Tu as affaire à Daf-nez, Steve, pas à n'importe quel chien. À part Donut, évidemment ! C'est bien toi qui as ramassé le pilulier de Vojtech quand il a perdu connaissance au bar ?

— Oui, et Brown a également pris des échantillons chez Klemens.

— Apporte-les, demain. On n'a rien à perdre. Au pire, Daf-nez ne sera pas capable de sentir ces produits, c'est tout.

— Au mieux, on trouvera notre revendeur !

— Et une nouvelle piste à suivre.

Steve sourit pour la première fois depuis plusieurs jours.

— Annie, tu es géniale !

— Je le sais, Steve, c'est pour ça qu'on est partenaires !

Chapitre 20

Trahison

Les retrouvailles après trois jours d'absence sont attendrissantes. Le personnel du chenil, pourtant habitué d'en voir, déclare que Daf-nez est un labrador bien particulier. Dans la voiture, avant d'arriver à la résidence canadienne, Annie prend son chien par la tête et le regarde dans les yeux.

— Daf-nez, ma belle, j'ai un travail important pour toi. Je sais que c'est difficile, mais je veux que tu te concentres.

Tout de suite, la jeune femme présente à Daf-nez les deux échantillons de médicaments remis par Steve. D'abord, la chienne éternue, puis elle renifle les comprimés et le pilulier avec attention. Annie recommence le même processus à quelques reprises. *Espérons qu'elle apprendra vite,* songe la jeune femme.

Pendant que Steve reste à bonne distance sur le stationnement, le binôme se dirige vers la résidence des athlètes. Jeffrey vient lui-même ouvrir la porte d'entrée à Annie. Il serre la jeune femme un bon moment dans ses bras.

— Ah ! Petite Annie… Je m'ennuyais déjà de toi. Que cette nuit a été longue…

— Jeff, soupire Annie en se dégageant et en prenant un air désolé, il va falloir mettre quelque chose au clair. Tu perds ton temps à te donner une image de macho indécrottable et à me faire passer pour une groupie sans cervelle, ce que je n'apprécie pas particulièrement. Ne prends pas tes fantasmes pour la réalité. On est amis, pas amants.

— D'accord, d'accord, je blaguais, tout simplement.

— Ça ne me fait pas rire. Mais ce n'est pas pour te parler de ça que je suis venue. C'est bien toi qui m'as demandé de rencontrer Daf-nez ?

— Euh… On s'est déjà croisés, elle et moi. Tu ne t'en souviens pas, au moment de l'alerte à la bombe ? Et aussi à l'aéroport. Mais si c'est une excuse pour me voir…

— Pardon, tu as raison. Tu nous permets d'entrer quand même? Je n'aime pas vraiment que tout le monde nous voie ici…

— Dans ma chambre?

— Tu as un autre endroit juste à toi?

Une lueur coquine s'allume un bref instant dans les yeux de Jeffrey. Annie n'ose pas s'en plaindre avec de nouvelles remontrances. Elle n'aime pas ce qu'elle s'apprête à faire, mais la policière veut à tout prix prouver à Steve que Jeff est propre. Ou peut-être a-t-elle tout simplement besoin de s'en convaincre elle-même.

En passant dans le corridor et le salon, elle croise les regards curieux ou amicaux des autres locataires de la résidence. Annie s'est bien rendu compte, depuis qu'elle travaille avec Daf-nez, qu'un chien suscite généralement ces réactions. *Sauf avec Maxim, celui-là n'aime pas les chiens, c'est certain: la tête qu'il fait quand il voit Daf-Nez! Brrrrrrr! Glacial!*

Annie pénètre rapidement dans la chambre et en referme la porte sous l'œil surpris de Jeff.

— Je crois que Maxim ne m'aime pas beaucoup, dit Annie pour se justifier. Où est-il ? Je ne voudrais pas le croiser…

— Ne t'en fais pas, il est parti hier.

— Ah oui ? Il ne sera pas présent à la cérémonie de clôture des Jeux ?

— Non, il m'a expliqué qu'il avait un travail urgent à faire. Il a pris un vol pour Saskatoon. Comme tu vois, nous sommes seuls… Alors, franchement, que me vaut l'honneur de ta visite ?

Jeffrey a rarement vu Annie aussi nerveuse. Il anticipe avec plaisir la question que la jeune femme semble sur le point de poser. Il s'approche d'elle et l'enlace. Annie recule brusquement et commence à tousser. Entre deux quintes de toux, elle demande à Jeff un verre d'eau qu'il s'empresse d'aller quérir dans la salle de bain. La policière en profite pour faire sentir de nouveau les échantillons à Daf-nez et lui ordonner de *chercher*. D'habitude, Annie dirige son chien durant la fouille afin qu'aucun endroit ne soit négligé. Mais aujourd'hui, la policière laisse tomber cette règle avec les autres… *Espérons que Daf-nez sera efficace, tout en*

étant discrète, pense-t-elle. Lorsque Jeff revient avec le verre d'eau, Annie occupe le fauteuil. Elle dépose le verre par terre sans même le boire. L'athlète s'installe, à moitié allongé sur son lit.

— Ça va ? Tu es sûre ?

— Oui, Jeffrey, merci pour l'eau.

— Alors, Annie, as-tu aimé ton séjour à Banff ?

— Génial, Jeffrey ! Les paysages étaient sublimes. Je ne pourrai jamais assez te remercier...

— Laisse, ce doit être dans ma nature. Tu sais, je reste ici encore quelques jours et rien ne me réclame à mon travail. Si tu veux...

Daf-nez s'est assise sur son arrière-train, le museau pointant vers la garde-robe. Annie l'appelle, mais la chienne demeure immobile, le regard fixe. *Non !* songe Annie, en sentant son cœur se broyer. *Pas Jeffrey ! Pas lui !* Jamais elle n'aurait cru...

Pendant quelques secondes, elle essaie de reprendre contenance, mais un nuage noir flotte au-dessus de sa tête, prêt à éclater. Encore une fois, Annie se sent trompée,

trahie… Elle imagine déjà Steve lui servir des «je te l'avais dit… tu aurais dû faire attention à tes fréquentations… tu as le don pour te mettre les pieds dans les plats…». Troublée, la jeune femme rappelle sa chienne le plus naturellement possible. Daf-nez ne bouge pas d'un poil. *Peut-être a-t-elle tout simplement senti autre chose, sans rapport avec la drogue. Comme la tache de ketchup sur les vêtements de l'athlète à l'aéroport*, tente de se rassurer Annie.

— Alors? Ça te plairait? insiste le jeune homme, de plus en plus persuadé qu'il lui est possible de reconquérir son ancienne flamme.

— Euh… Excuse-moi, Jeffrey, je ne t'écoutais pas. Je n'ai pas beaucoup dormi ces derniers temps, le voyage, tu sais… Et je pense que je devrais retourner au boulot avant qu'on coupe ma paie! Merci pour le verre d'eau, balbutie-t-elle en sortant précipitamment de la chambre avec le verre et Daf-nez sur ses talons.

Jeffrey reste pétrifié. Il a bien remarqué le regard alarmé d'Annie, le verre d'eau qu'elle a emporté sans le boire et le comportement étrange du chien… Que vient-il de

se passer ? Pourquoi Annie est-elle partie si vite ? Et d'abord, pourquoi est-elle venue le voir ? L'excuse de son chien ? Voyons !

Jeff se plante dans le cadre de la porte de sa chambre. Il s'étire le cou, regarde à gauche, puis à droite. Au fond du couloir, près de l'entrée de la résidence, il aperçoit la silhouette d'Annie, son manteau blanc et rouge et ses cheveux châtains. Il y a aussi le délégué Steve Demers, appuyé contre le mur. Jeff peut voir le jeune homme se pencher, prendre la tête de Daf-nez et l'embrasser sur le front. Puis, le délégué se tourne vers Jeffrey en portant un cellulaire à son oreille. Un verre d'eau à la main.

Les neurones de l'athlète se mettent à faire des liens entre les différents événements des derniers jours. Les informations se connectent soudainement les unes aux autres pour former une toile dans laquelle Jeffrey se découvre piégé. Steve, qui a toujours l'air malheureux lorsqu'il est question d'Annie. Steve qui dit connaître Annie et Annie qui ne parle jamais de son amoureux. Steve le délégué. Steve l'amoureux d'Annie. Le même prénom. La même personne ?

Et si, depuis le début, il avait été mené en bateau ? Si tout ça n'avait été qu'une… duperie. Annie se serait servie de lui ? Mais pour quelle raison ? Le chien cherchait peut-être quelque chose. Des explosifs ? Quoi encore ? Annie avait posé beaucoup de questions sur le dopage. *Pense-t-elle que je me drogue ? Je lui ai pourtant juré que non. C'est Maxim qui distribue des produits dopants, pas moi !* Jeff se masse les tempes. Annie l'avait averti à sa façon. Elle lui avait clairement indiqué que de couvrir un délinquant était un acte criminel à ses yeux. *J'aurais dû me méfier…*

— Eh ! Steve ! J'aimerais te parler, lance Jeff d'un ton pressant.

Steve lève la tête, l'air un peu surpris, mais fait signe à Jeffrey d'attendre une minute, le temps de terminer son appel. Jeff entre dans sa chambre et l'inspecte du regard. La chienne d'Annie s'était assise devant la porte de la garde-robe. La garde-robe de Maxim. Jeffrey avait pourtant interdit à son coéquipier d'entreposer les drogues dans leur chambre. Et Maxim avait ri en affirmant ne pas être « assez cave » – cela avait été ses mots – pour faire une

chose pareille. Puis Maxim était parti plus rapidement que prévu, alors que Jeff était en voyage avec Annie... *Avec tout ça, je risque de perdre ma médaille et encore bien plus*, rage intérieurement Jeffrey.

On cogne sur le cadre de la porte demeurée ouverte.

— Entre, Steve, je pense qu'on a des choses à se dire...

Mais ce n'est pas Steve qui entre. Le médaillé olympique sursaute, envahi par une sensation vraiment désagréable.

— Monsieur Jeffrey Hardy? Je suis l'agent Brown de la GRC. J'aurais quelques questions à vous poser...

— Annie, je te jure que tu t'en fais pour rien. Jeffrey va s'en sortir.

Assis sur le lit d'Annie, Steve s'efforce vainement de réconforter sa conjointe qui marche de long en large dans la chambre, les cheveux en bataille et des éclairs dans les yeux.

— Tu ne peux pas comprendre, Steve Garneau : je viens de trahir un de mes amis.

Devine ce qu'il va penser de moi, désormais! J'ai joué avec ses sentiments pour le piéger, pour le manipuler... Je suis horrible.

— Tu n'as fait que ton job, déclare le policier sur un ton incertain.

— Non, ce n'était pas mon travail, c'était le tien.

— Tu m'en veux, maintenant?

— Non, c'est à moi que j'en veux. Laisse-moi au moins ça. C'est moi qui ai eu l'idée, rappelle-toi. Je suis un monstre et je vais devoir l'assumer.

Steve soupire. Il ne s'était pas attendu à ce que Daf-nez découvre réellement des produits dopants dans la chambre de Jeffrey. Par ailleurs, l'arrestation de l'homme qui avait tenté aussi ouvertement de séduire son amoureuse ne l'avait pas soulagé. Depuis, il n'arrive pas à chasser l'image de Jeffrey qui, encadré par les agents de la GRC, avait lancé: « Prends bien soin d'Annie, Steve. Si j'avais su, je ne me serais jamais interposé entre elle et toi. Je ne suis pas ce genre d'homme. Annie t'aime vraiment beaucoup, ne la laisse pas tomber. »

Steve n'avait pas rapporté ces propos à sa conjointe et il doutait, en ce moment

même, qu'Annie ne l'aime autant que Jeffrey semblait le croire.

— Même si ça ne te dit rien pour l'instant, je te laisse réfléchir à ma proposition, Annie. Je pense que ce voyage te ferait du bien et permettrait de conclure rapidement cette enquête. Je peux y aller seul, mais j'aimerais réellement que tu m'accompagnes.

Pour toute réponse, il n'obtient que les reniflements et les soupirs de la jeune femme qui s'affale sur son lit, face au mur. Désemparé, Steve quitte la chambre après avoir flatté Daf-nez.

Assis dans la salle d'attente du poste de la GRC, Maxim Lehoux est entouré de deux agents. Lorsque Jeffrey sort du bureau de l'inspecteur Brown, Maxim se lève brusquement pour toiser son ex-coéquipier de bobsleigh. Les policiers se lèvent à leur tour et tâchent de maitriser l'athlète qui refuse de se rasseoir.

— Je ne pensais jamais que tu me dénoncerais, crache Maxim.

— Te dénoncer ? Tu occupais la même chambre que moi, ne l'oublie pas. C'est toi qui m'as piégé et non l'inverse !

Maxim se rassoit, conscient qu'il vient de commettre une erreur. Il a trop parlé. Mieux aurait valu feindre la surprise. Malheureusement pour lui, Maxim a perdu tous ses moyens depuis que deux agents de la GRC sont venus le chercher sur son lieu de travail, à Saskatoon. *Tout ça, c'est la faute de Jeffrey et de sa petite amie. Non ! mais quelle idée a eu ce crétin de se mettre en tête de séduire son ex-copine, devenue policière ?* Dès le début, il avait su que ce petit visage angélique cachait de gros ennuis. *Sans oublier ce chien au nez fourré partout qui me regardait toujours avec un drôle d'air, comme s'il savait…*

La lettre entre les mains, Annie se laisse choir sur le fauteuil de sa chambre. Jeff lui a écrit… Elle imagine sans peine ce qu'il va lui dire, elle sait les mots qu'il va employer et qui blesseront un peu plus son cœur déjà mutilé. Elle ne pensait pas que ce serait si dur, qu'elle pourrait se détester autant pour

ce qu'elle a fait. Les yeux embués de larmes, elle se décide à déchirer l'enveloppe.

Petite Annie,

Pour une surprise, c'en était toute une! Je dois t'avouer que je ne m'y attendais pas… Non, je ne devrais pas dire ça, puisque tu m'avais averti, en quelque sorte. Tu n'as pas changé, depuis le temps où on se fréquentait. Tu as toujours été droite, franche et j'imagine bien que tu n'as pas manigancé ce coup de longue date. Je l'espère, car j'aimerais bien garder notre voyage à Banff comme un merveilleux souvenir de nos retrouvailles…

Même si j'ai tous les mobiles du monde de t'en vouloir, j'en suis incapable. Parce que tu avais raison, c'était mal. C'était mal de cacher ce trafic dont je connaissais la nature et les dangers. Je crois que tu as compris que je n'en ai jamais tiré profit. J'étais contre, mais j'ai parfois la manie de prendre des décisions par absence de décision. Je n'ai donc rien fait contre Maxim et son trafic. Mon silence, mon inaction, m'ont rendu coupable. Notre rencontre n'aura pas été inutile, j'aurai au moins appris cette leçon.

Je suis déçu… Oh non, pas de toi, mais de moi. Je m'en tire quand même bien, car j'ai réussi à convaincre la GRC de mon innocence, pour ne pas dire de ma stupidité… Maxim a tout avoué. Il conservera peut-être sa liberté, mais uniquement en collaborant à l'enquête. Plusieurs personnes, dont deux athlètes, sont mortes à cause des produits que tu as trouvés. Maxim a finalement admis sa responsabilité dans l'affaire. Moi aussi… Nous avons remis nos médailles au Comité olympique. Je retourne en Alberta, à mon boulot sale et dangereux, mais bien payé malgré tout. Garderas-tu un bon souvenir de moi ? De mon côté, je continuerai à t'appeler petite Annie dans mes rêves.

Jeff X

P.-S. Cours vers ton Steve. Dis-lui que tu l'aimes. Fais-lui comprendre que tout ce que je racontais sur toi n'était que le fruit de la vantardise d'un garçon en collants moulants. Je le respecte d'avoir résisté à l'envie de me casser la gueule, car c'est probablement ce que j'aurais fait si j'avais été à sa place ! Je ne pouvais connaître le lien qui vous unissait et que tu essayais de préserver.

Chapitre 21

Beijing

À l'aéroport de Beijing, Annie attend avec impatience son dernier bagage. Le voyage a été long, treize interminables heures. Mais c'est pour Daf-nez qu'Annie s'inquiète en cherchant des yeux la cage dans laquelle sa chienne a voyagé. Steve arrive bientôt avec un chariot rempli de valises. Il arbore un sourire débordant de tendresse et enlace Annie en lui murmurant à l'oreille :

— Si tu savais comme je suis heureux que tu aies accepté de compléter cette enquête avec moi. Et je te le jure : plus jamais de mission m'obligeant à prendre une fausse identité. C'est fini cette histoire de couverture.

— On ne doit pas dire : *Fontaine je ne boirai pas de ton eau!* On ne peut prédire où la vie nous mènera. Mais après l'avoir expérimenté chacun de notre côté[21], on sait qu'on est plutôt pourris à ces jeux de rôle.

— Non, les tourtereaux, pas si pourris que ça, lance une voix étrangère derrière le couple. Et attendez de voir ce que je vous ai concocté !

Surpris, le duo de policiers se retourne. Annie et Steve reconnaissent immédiatement l'homme dans son paletot beige usé : l'inspecteur français Roger Tourignon, de la Police internationale[22]. Il fait une chaleureuse accolade à Steve et le baisemain à Annie.

— Annie, tu n'as pas changé, toujours aussi ravissante.

— Et toujours avec moi, Tourignon, rajoute Steve, en entourant Annie de son bras.

— On ne pensait pas vous voir ici, rougit Annie, qui apprécie l'inspecteur

---

21. Voir *Clone à risque*, Biocrimes 2, de la même auteure dans la même collection.

22. Voir *Anthrax connexion*, Biocrimes 3, de la même auteure dans la même collection.

malgré les prémices difficiles de leur relation.

— Quand j'ai su que vous seriez à Beijing, j'ai attrapé le premier avion. J'aurais pu envoyer quelqu'un d'autre, mais j'avais envie de vous revoir. Est-ce que… Donut vous accompagne ? demande-t-il en apercevant un employé poussant une lourde cage montée sur un chariot.

— Ça, c'est la surprise, annonce Steve en ouvrant la porte de la cage.

Aussitôt, Daf-nez en sort et s'ébroue un long moment. Puis, enthousiaste, la chienne bouscule Annie qu'elle retrouve enfin.

— Si c'est Donut, il a subi une chirurgie majeure. Mais… est-ce que ça veut dire… qu'il a rejoint le grand terrain de jeu éternel des chiens ?

— Non, non, le rassure Steve en riant, il est à la maison. Vieux, mais toujours apte au travail. Daf-nez est le nouveau partenaire canin d'Annie. Elle est entraînée pour détecter les armes et les explosifs, mais comme son flair ne semble pas avoir de limites, c'est elle qui a relancé notre enquête en repérant le produit dopant. On va voir si elle peut encore nous aider.

Tourignon se penche et caresse la tête de Daf-nez. La chienne le laisse faire patiemment, son museau humant l'air avec avidité. Son inspection terminée, elle se recouche aux pieds d'Annie.

— Plus rien ne m'impressionne, venant de vous, constate l'inspecteur français. Ce que vous entreprenez, tous les deux, vous le menez à la perfection. Vous savez que mon offre est toujours valable. Il ne tient qu'à vous d'intégrer mon équipe. Lorsque vous serez blasés de votre petit coin de pays, je vous donnerai le monde !

Annie sourit en levant les yeux au ciel. Tourignon n'a pas changé, lui non plus. Il exagère toujours autant, mais la jeune femme y décèle maintenant une touche d'excentricité et de paternalisme.

— Pour l'instant, notre petit coin de pays, comme vous l'appelez, nous a envoyés enquêter en Chine. Daf-nez aurait bien besoin de se délasser les pattes. Elle est fatiguée et moi, je ne tiens plus debout. Alors, avant de conquérir le monde, Roger, nous allons dormir un peu. Demain, nous aurons besoin de toutes nos énergies, car

je n'ai pas l'impression que nous serons les bienvenus là où nous irons.

— Notre mission est nécessaire, Annie, et je pense que le gouvernement chinois ne pourra pas nous mettre des bâtons dans les roues si nous trouvons ce que nous sommes venus chercher. Je ne pense pas qu'il accepte de protéger des criminels du dopage, surtout après avoir accueilli aussi brillamment les Jeux olympiques d'été, il y a à peine dix-huit mois.

— Espérons-le, soupire Annie. Je n'aimerais pas que notre présence crée un incident diplomatique.

⇳

— Maxim, c'est à toi. Tu dois le garder en ligne assez longtemps pour que nous puissions le localiser dans l'usine. Ton contact vient d'entrer dans la bâtisse. Les caméras infrarouges sont prêtes, les microphones aussi, vas-y.

Dans la camionnette remplie d'écrans d'ordinateur et de spécialistes des télécommunications, Maxim Lehoux s'apprête à téléphoner à son fournisseur. L'ex-bobeur

s'essuie le front. Depuis deux semaines, il collabore avec la GRC et Interpol pour découvrir qui se cache derrière le trafic de comprimés d'acétaminophène frelatés, apparemment dopants, qui a provoqué la mort de deux athlètes. Il n'aime pas ce qu'on lui demande de faire, car il anticipe très mal la suite des événements. Il a beau n'être qu'un pion dans ce réseau international qui compte probablement des centaines d'autres pions comme lui, il redoute de devoir passer le reste de sa vie à se cacher. *C'est ta faute, mon vieux,* se dit-il. *C'est toi qui as voulu être plus malin que les autres en trouvant un moyen facile de boucler tes fins de mois. Et voilà où ça t'a mené. Encore heureux que t'aies pas consommé cette merde.* L'angoisse lui serre les tempes comme dans un étau.

— Euh... C'est Max. Oui, votre liaison des Olympiques. Pourquoi je vous appelle ? Je sais, ce n'est pas mon horaire habituel, mais il fallait que je vous parle. J'ai recruté de nouveaux clients et ils vont avoir besoin de marchandise. Oui, le H5. Non, non, ne vous inquiétez pas, personne n'a fait le lien avec les deux athlètes... Combien ? Bien... Quatre fois la commande habituelle. Oui,

je sais, c'est une grosse quantité. Même filière pour la livraison. Quand?... Ah... C'est plus long... Trois jours. O.K.

Maxim jette un coup d'œil au coordonnateur des liaisons qui fait signe de la main de continuer. Près de lui, l'ex-athlète peut aussi voir un agent qui, avec le curseur de sa souris, suit une tache rouge se déplaçant sur un moniteur. Une trentaine d'autres formes rouges sont plus ou moins fixes. Directement à côté, sur un autre écran, le diagramme d'une voix humaine s'affiche. Un spécialiste, les mains courant sur sa console, essaie d'isoler la voix du contact des autres bruits ambiants. Maxim se mord les lèvres et reprend:

— Euh, il y a autre chose... Vous savez, c'est de plus en plus dangereux... J'ai toujours plus de clients et je m'expose à des risques... Non, non, je ne veux pas abandonner, mais... Oui, je sais... Mais si vous m'offriez une meilleure part du gâteau?... Non? Pourquoi alors?... Mais personne ne voudra se mouiller pour un si bas pourcentage. Vous savez, je ne suis pas comme vos Chinois que vous faites bosser pour une bouchée de pain...

Silence sur la ligne. Dans la camionnette, tous les regards se tournent vers Maxim qui comprend soudain qu'il a commis une erreur. Il bredouille dans le combiné :

— Comment je sais que ce sont des Chinois ? Je ne le sais pas, mais tous les comprimés d'analgésique de ce monde sont fabriqués en Chine. Ça ne prend pas la tête à Papineau pour faire la bonne déduction... Ouais, c'est bon, pensez-y. On s'en reparlera.

Il raccroche brusquement et, frustré, lance aux agents :

— Vous m'avez ordonné de le faire parler. Il fallait me fournir un texte ou prendre quelqu'un d'autre. Moi, j'arrête tout !

Young, le responsable des communications, serre les dents et consulte l'écran de détection infrarouge. La cible se dirige rapidement vers l'arrière de l'usine. Autour de la tache représentant le contact de Maxim, les autres taches s'activent, comme les abeilles d'une ruche qu'on aurait saccagée. Le chef de mission prend son cellulaire et compose un numéro.

— Tourignon, c'est Chen Young. Oui, il va falloir accélérer la manœuvre. Tout

de suite. Votre rendez-vous est à cinq cents mètres de l'usine. La traductrice et l'équipe d'inspection sanitaire vous attendent. L'escouade tactique est prête. Vous êtes couverts sous tous les angles... Oui, on fait attention à la dame, ne vous inquiétez pas. Elle a son chien ?... Parfait. Alors bonne chance !

Steve tient la main d'Annie. Il aimerait n'avoir jamais invité la jeune femme à venir ici. Il croyait, bien naïvement peut-être, que cette mission s'achèverait par une simple inspection des lieux soupçonnés d'abriter le laboratoire de produits dopants. Mais il semble que la ruse, sinon la force, soient devenues nécessaires. La vitesse à laquelle la dernière partie de la mission a été enclenchée n'inspire rien de bon au jeune homme. À peine était-il arrivé au poste avec Annie qu'on les a conduits devant l'usine en leur donnant une dernière fois les instructions. Or, Steve déteste ne pas sentir qu'il contrôle la situation. Il aurait voulu avoir le temps de prévoir tous les scénarios possibles. Et que dire de ces signes chinois

qu'il ne peut comprendre, ces conversations menées dans une langue dont il ignore la plus simple expression, sans oublier le nuage de smog qui entoure la ville grouillante. Tout cela le déboussole plus qu'il ne l'aurait cru. Tourignon a beau lui dire que le plan est infaillible, que ses hommes les accompagneront à l'intérieur, que l'usine est pour ainsi dire bouclée et surveillée, de l'intérieur comme de l'extérieur, Steve ne peut faire autrement que d'envisager le pire. Son arme à sa ceinture le rassure un peu, mais c'est surtout pour Annie qu'il a peur. Encore cette éternelle bête tapie dans le fond de ses tripes qui gruge sa raison et le paralyse dès qu'il laisse aller son imagination. Et si Annie était blessée, si elle perdait la vie… Jamais il ne le supporterait. Jamais il ne se permettrait de vivre si elle disparaissait. Peut-être aurait-il dû insister pour qu'elle reste avec Jeffrey, finalement…

Même cette pensée ne parvient pas à le calmer. Comme si elle était télépathe, Annie devine le trouble de son compagnon. La jeune femme retire son chapeau.

— Steve, ça se passera bien. Ne t'inquiète pas. Ne laisse surtout pas ta nervosité

effrayer Daf-nez, elle a besoin de nous savoir en pleine possession de nos moyens.

Décontenancé, le policer regarde la chienne qui le fixe en se léchant les babines, la queue et la mine basses, les oreilles collées contre son crâne. Steve serre un moment le labrador contre lui et enfouit son nez dans le pelage brun de la bête. Puis une autre pensée lui traverse l'esprit : *On aurait bien eu besoin de toi, mon Donut...*

— Allez, Daf-nez, tu es un bon chien, tout ira bien pour toi. Pour nous aussi, Annie, rajoute-t-il en prenant le visage de son amoureuse entre ses mains et en plongeant son regard dans celui de la jeune femme.

Annie sourit, embrasse son éternel anxieux et lui replace une mèche de cheveux.

— Ce n'est pas notre première mission. Et j'aime bien la façon dont ils m'ont habillée. Attention, je risque d'y prendre goût !

— Tu es toujours aussi belle, Annie, habillée ou non. As-tu fait sentir l'échantillon à Daf-nez ?

— Oui, elle est prête. Et moi aussi. Je dois t'avouer que je suis excitée. Je m'ennuyais terriblement à Whistler. Pas assez d'action.

Steve ne partage pas l'enthousiasme d'Annie. Oui, l'action lui avait manqué, mais c'est surtout l'absence de la jeune femme qui l'avait rendu misérable à Whistler. Maintenant qu'il avait retrouvé sa bien-aimée, il aurait voulu que le temps s'arrête ou que, par miracle, il escamote la prochaine heure.

La camionnette se gare devant l'usine, un immense bâtiment gris, quelconque, avec très peu de fenêtres. Annie sort la première de la voiture, inspecte brièvement les lieux et donne la main à Steve pour l'aider à descendre. Celui-ci arbore de grosses lunettes noires pour protéger sa fausse cécité. Daf-nez fait office de chien-guide. Annie, quant à elle, porte des vêtements luxueux, manteau et toque d'hermine. C'est Tourignon qui a eu l'idée de déguiser Annie et Steve en un couple de riches Occidentaux prêts à investir dans une usine chinoise de fabrication de médicaments génériques, dont l'acide salicylique et l'acétaminophène. Depuis peu, mondialisation oblige, toute la production se fait en Chine, mais non sans certains problèmes de qualité. D'où la présence, dans la

délégation factice, d'employés du contrôle sanitaire, en fait des policiers chinois membres d'une équipe d'intervention.

Daf-nez se tient bien droite dans son harnais de chien d'aveugle. Annie n'en revient pas de la facilité avec laquelle l'animal s'adapte à toutes les situations. Durant les deux semaines ayant précédé leur arrivée en Chine, la chienne a été entraînée à faire la différence entre le comprimé d'acétaminophène ordinaire et toutes les combinaisons possibles vendues en pharmacie, plus celui contenant une légère modification chimique, le H5, retrouvé dans la pharmacie de Klemens Biernat, le médecin de l'équipe polonaise, et dans le pilulier d'Aleksander Vojtech. Les enquêteurs de l'AMA avaient découvert que cet ajout chimique, quasi imperceptible lors de tests de laboratoire, augmentait l'oxygénation et la circulation sanguine, et incidemment les performances musculaires de ses consommateurs. La mauvaise nouvelle était que l'athlète devait en absorber des quantités dépassant la capacité du foie à les dégrader, d'où les effets secondaires fatals qui avaient emporté le Tchèque Milan

Horakova et le Polonais Aleksander Vojtech. Les recherches menées par l'AMA sur le produit étaient loin d'être terminées, mais la GRC avait réussi, grâce au flair de Dafnez, et à la collaboration de Maxim Lehoux, à monter la piste qui les menait aujourd'hui dans le laboratoire soupçonné de produire le H5.

Chapitre 22

Médecine chinoise

Steve inspire un bon coup pour chasser sa nervosité et fait signe à Annie qu'il est prêt. Il avance, tenant d'une main le bras de la jeune femme et, de l'autre, la poignée du harnais du chien-guide. Le policier garde la tête haute, imitant un non-voyant qui n'a pas à regarder où il pose les pieds. Daf-ncz flaire déjà l'air avec de petits *daf-daf* qu'Annie tente de couvrir en traînant les pieds. L'attaché politique et commercial ouvre la porte de la salle d'attente adjacente au bureau du directeur et y invite le couple. Annie et Steve s'y installent en compagnie de l'interprète. La pièce est petite, meublée de trois chaises défraîchies, et les murs sont couverts

d'affiches vantant les mérites de tel ou tel médicament. Annie jette un regard noir à Steve qui inspecte la pièce avec un peu trop d'insistance pour un aveugle. Elle lui presse l'épaule pour le calmer. Quelques minutes plus tard, un Chinois de petite taille, au visage buriné par le soleil et l'âge, se présente à eux. Il toise avec circonspection le chien-guide, puis Steve dont les yeux sont cachés par les lunettes. Annie tend la main au nouveau venu :

— Monsieur Chiang, comme mon époux tient avec moi les cordons de la bourse, il a tenu à nous accompagner. Il est très cartésien alors que je suis plus intuitive. Nous nous complétons. Et rassurez-vous, son handicap ne l'empêche pas de tout voir… Si votre usine respecte nos standards de qualité, nous sommes prêts à investir une somme importante qui vous permettra de moderniser votre équipement. Quant au chien-guide, bien que cela puisse paraître contraire aux règles d'hygiène, mon mari l'emmène dans tous ses déplacements et les directeurs des usines concurrentes que nous avons visitées n'ont émis aucune objection… Je le garderai près de moi.

Le directeur, à la suite de la traduction, jette un regard en coin à Steve et à l'animal, puis fait un signe de la main pour indiquer le chemin à suivre. Steve prend le bras du traducteur et commence aussitôt à poser question sur question, pendant qu'Annie retire le harnais de Daf-nez pour lui passer une laisse. Le groupe, auquel se sont rajoutés les inspecteurs sanitaires, s'engage dans le corridor menant aux installations de l'usine. Annie et Daf-nez, d'abord tout près de Steve, se laissent lentement distancer par les autres et traînent bientôt à la queue du groupe. Annie sort en douce de sa poche l'échantillon de H5 et le fait sentir à Daf-nez qui se met à humer le sol avec application. Lorsque le binôme croise le regard curieux des employés, Annie donne un léger coup sur la laisse de Daf-nez qui relève immédiatement la tête. Par la suite, la chienne se remet au travail d'un simple signe du doigt de sa maîtresse. La coordination est tellement bonne qu'elle arrache un sourire de fierté à la jeune femme.

La visite commence par l'espace réservé à la production. Le bâtiment, haut de plafond, est occupé par d'immenses cuves

en acier inoxydable dans lesquelles s'opèrent le mixage des produits chimiques et les réactions de transformation. Dans une autre pièce, un enchevêtrement de tuyaux, de conduites et de tapis roulants amène le mélange dans des moules où l'on procède à la confection des comprimés et à leur emballage. Une dizaine de travailleurs s'occupent des panneaux de contrôle pendant que d'autres ouvriers, plus nombreux, manipulent les produits chimiques. Les installations sont vieillottes et le bruit ambiant atteint des niveaux élevés, rendant les conversations difficiles. Steve persiste néanmoins à poser ses questions, accaparant l'attention du directeur pendant qu'Annie explore les lieux avec Daf-nez. Après avoir traversé quatre sections d'usine quasi identiques, le groupe se retrouve au fond du bâtiment. Jusque-là, Daf-nez n'a eu aucune réaction. Pas de H5 en vue. Annie en désespère presque, doutant maintenant de l'utilité de leur démarche.

Le directeur explique au groupe que l'usine communique avec un laboratoire de contrôle de la qualité et un entrepôt de marchandises. Il les fait d'abord pénétrer

dans le laboratoire où plusieurs employés en blouse blanche s'affairent à leur paillasse. L'endroit est étroit, divisé sur la longueur et tous les visiteurs ne peuvent y entrer en même temps. Annie entend Steve demander au directeur comment se porte la division de recherche et de développement de son entreprise. Le patron hésite un peu, avant de répondre que la recherche est trop onéreuse et que ses employés se contentent de travailler avec des recettes éprouvées.

Vers le fond du laboratoire, dans un angle mal éclairé, Annie distingue au mur ce qui pourrait être une ouverture. Elle s'approche discrètement pendant que le directeur continue la visite. *Une porte condamnée*, constate-t-elle. *Plutôt étrange. À moins qu'elle ne s'ouvre de l'extérieur…* Le museau au sol, Daf-nez se met alors à respirer plus fort. Le *daf-daf-daf* semble assourdissant aux oreilles du maître-chien qui tire sur la laisse, puis caresse la tête de l'animal pour le calmer. Annie se penche et glisse ses doigts entre le plancher et le bas de la porte, dans un espace d'à peine quelques millimètres. Elle sent un léger courant d'air tiède. *Bingo ! Il y a une pièce derrière!* jubile la policière. Elle insère un peu plus profondément ses doigts et tire. Après quelques efforts, la porte s'entrouvre. Une porte insonorisée, recouverte de métal, qui donne sur une pièce plongée dans l'obscurité. Annie fouille dans ses poches et en sort un stylo-bille sur lequel elle referme la porte, pour permettre à son équipe d'entrer, en cas d'urgence…

La policière attend quelques secondes en retenant son souffle, attentive au moindre son, avant de promener ses mains sur les murs. Finalement, elle trouve l'interrupteur et la lumière se fait. Une lumière intense et froide qui éclaire un laboratoire vaste, ultramoderne, contenant des appareils sophistiqués et dispendieux. Rien à voir avec l'équipement vétuste du laboratoire de contrôle de la qualité. *Trop coûteux, la recherche et le développement ? Pfff !* pense Annie, emballée par sa découverte.

Daf-nez, en réponse à un signe de sa maîtresse, commence à renifler méthodiquement le plancher et les surfaces. Dans le fond du local, une cuve en acier inoxydable est reliée à des conduites et des tuyaux, réplique en plus petit format de l'appareil-

lage vu dans les salles précédentes. Un coup d'œil suffit à Annie pour comprendre que tout cela est neuf et inutilisé. Déçue, elle s'apprête à rejoindre les autres membres de l'équipe, lorsque les *daf-daf-daf* se font plus intenses et sonores. Comme si la chienne avait compris que c'était maintenant ou jamais qu'il fallait trouver, elle s'arrête devant une armoire, sous une paillasse de travail, et s'immobilise, le regard fixe. Le cœur battant, Annie s'approche. Un papier-mouchoir en main, elle saisit la poignée et ouvre le cabinet. Vide... comme le reste du laboratoire. Mais en effleurant une des tablettes de sa paume, Annie constate qu'une infime poussière blanche y reste collée. La chienne réagit fortement lorsque sa maîtresse lui fait sentir cette substance.

— Bravo, Daf-nez ! Tu as trouvé !

Le déclic d'un pistolet qu'on arme et le contact froid du métal sur sa tempe glacent la jeune femme d'effroi. Les images se bousculent dans sa tête avec une impression de déjà-vu. Elle se retourne lentement, les mains en l'air. Le Chinois qui lui fait face est trapu et musclé comme Jacky Chan et n'a décidément pas l'allure d'un laborantin.

Le rictus de rage qui défigure son visage le rend encore plus intimidant. Annie ravale le bobard inutile qu'elle s'apprêtait à formuler: «Je me suis égarée... Je cherchais un mouchoir.» La policière déglutit pendant que l'homme lui aboie des ordres dans une langue incompréhensible.

Le poil hérissé, Daf-nez se met alors à gronder sourdement, ce qui détourne l'attention du Chinois l'espace d'un instant, suffisamment pour que l'entraînement d'Annie prenne le dessus. La jeune femme lève brusquement le bras, propulsant l'arme menaçante dans les airs. Puis son poing s'enfonce dans les côtes de l'inconnu pendant que son genou vise le bas-ventre. Mais Annie frappe l'air et son assaillant la fait violemment pivoter avant de l'empoigner par le cou. La pression qu'il exerce sur la trachée de la policière est telle que la jeune femme sent ses forces s'évanouir rapidement. Elle a beau se débattre, ses coups n'atteignent pas son agresseur. Des taches noires commencent à flotter devant ses yeux. La brûlure dans ses poumons devient intolérable. Elle sombre vers une mort certaine quand «Jacky Chan» lâche subitement prise

en hurlant de douleur. Annie s'affale de tout son long par terre, un objet dur contre sa hanche. Le pistolet. Machinalement, elle le ramasse et appuie deux fois sur la gâchette avant de perdre connaissance.

Dans un vide comateux, elle a conscience de l'incendie dans sa gorge, de mains qui la touchent, d'être tirée par les jambes, de cris et d'échanges de coups de feu au-dessus de sa tête. Puis d'un corps chaud qui se blottit contre elle et d'une langue humide qui mouille ses joues et ses paupières. Dans un râle presque inaudible, elle dit :

— Ça suffit, Daf-nez, laisse-moi respirer !

Elle ouvre les yeux dans l'obscurité et rencontre le regard anxieux de Steve posé sur elle. La jeune femme a été traînée dans un coin du laboratoire, son dos est appuyé à une armoire tandis que Daf-nez est couchée contre elle, protectrice.« Jacky Chan » a disparu. Dans un sourire qui ressemble plus à une grimace, Annie murmure :

— Daf-nez a trouvé des traces de H5. Et tu vas être content, Steve, j'ai enfin eu peur !

Steve serre les dents en caressant les cheveux de son amie. La dose de danger nécessaire pour calmer Annie, pour lui « faire peur » comme elle le dit, dépasse ce qu'il peut supporter. Chaque fois qu'elle est mêlée à une altercation de ce genre et qu'elle risque de perdre la vie, il a l'impression de mourir un peu, lui aussi.

— Je ne sais pas si ça me fait plaisir. Tu vas finir par me tuer à force de me refaire ce coup-là.

Comme elle fait mine de répliquer, il lance :

— Garde tes forces, ma belle, l'action n'est pas encore terminée.

En effet, l'échange de coups de feu reprend. Annie écoute attentivement tout ce qui se passe et en conclut qu'il doit y avoir deux ou trois adversaires dans chaque clan. Derrière Annie, un bruit de verre cassé et un « Merde ! Je suis touché » lui indique que Tourignon a des problèmes. Tourignon qui devait pourtant attendre dehors. Durant combien de temps a-t-elle perdu connaissance ? Steve demande :

— C'est sérieux, Roger ?

— Non, juste l'épaule, grogne l'inspecteur français. Mais ça fait un mal de chien.

— Tu peux encore te servir de ton arme ? demande Steve d'une voix rauque, tutoyant Tourignon sans même s'en rendre compte.

— Oui, vas-y, je te couvre.

Avant de partir, Steve allonge la jambe pour faire glisser vers lui le pistolet de « Jacky Chan ». Il le confie à Annie en disant :

— Fais attention à toi.

La douceur du baiser qu'elle sent sur ses lèvres s'évapore avec le départ du jeune homme qui a décidé de risquer le tout pour le tout. *Quel nid de vipères !* pense Annie. Pourtant, ça n'aurait pas dû se passer ainsi. Le bâtiment était censé être cerné par une équipe entraînée, prête à toute éventualité. « L'équipe sanitaire » devait être à leurs côtés, comme autant de barrières entre eux et l'ennemi. Mais Annie, la première, sait que même l'intervention la mieux planifiée peut échouer, qu'il suffit d'un grain de sable dans l'engrenage pour que tout se complique. Combien sont-ils à se battre ? Combien des leurs sont déjà tombés ? La policière se

redresse sur ses coudes pour voir où en est Steve. De la direction empruntée par le jeune homme proviennent des bruits inquiétants de lutte, d'étagères qui tombent, de verre cassé... Derrière elle, Annie aperçoit Tourignon qui devait couvrir Steve, mais qui semble de plus en plus préoccupé par son épaule ensanglantée.

— Tourignon, je prends le relais. Occupez-vous de votre blessure. Je vous envoie Daf-nez.

Malgré les protestations de l'inspecteur, la policière repousse Daf-nez vers le Français et commence à ramper, l'arme au poing, à travers les débris qui jonchent le sol. L'adrénaline aidant, elle reste concentrée sur son objectif malgré les petits morceaux de vitre qui s'incrustent dans sa chair. Elle rencontre un corps, puis un autre... Des Chinois. Oui, mais de quel côté étaient-ils ? Les bruits cessent brusquement. Le silence est menaçant. Au fond du laboratoire, une porte s'ouvre sur l'extérieur et la lumière crue qui s'infiltre aveugle un instant la jeune femme. Elle voit un homme sortir. Elle avance de plus en plus vite vers le fond du laboratoire, l'estomac noué. Elle doit retrou-

ver Steve. *Ne te fais pas de scénarios, Annie, ça ne sert à rien d'imaginer les pires choses.*

Le labo est vide. Steve a disparu.

Annie se relève, secoue ses vêtements couverts de verre et se dirige vers la porte. Elle l'entrouvre très légèrement, laissant ses yeux s'habituer à la lumière du soleil. Du mouvement attire son attention. Elle voit Steve, de dos, qui tient en joue deux Chinois transportant des boîtes de carton. Il semble en contrôle de la situation. Elle sourit et s'apprête à le rejoindre lorsqu'un homme s'immobilise devant l'embrasure de la porte. Ami ou ennemi ? Comment le savoir ? Elle retient sa respiration, en attente. Enfin, le canon d'une arme pointée en direction de son partenaire apparaît. *NON!* pense-t-elle en un éclair. Elle recule de quelques pas, saute dans les airs pour s'accrocher au chambranle et lance ses pieds contre la porte qui s'ouvre avec violence. L'inconnu reçoit le projectile improvisé et s'effondre, face contre terre. Annie retombe au sol, reprend son équilibre et fonce dehors. L'homme a eu le temps de se relever. Encore désorienté, le front ouvert sur plusieurs centimètres, il charge Annie comme un

taureau sauvage s'élançant dans l'arène. Annie pointe son arme sur la tête de son attaquant et crie : *Stop !* Surpris, le Chinois s'arrête et lève les mains. Annie lui fait signe de rejoindre les deux autres hommes que Steve tient en joue. Le policier jette un œil à sa collègue et, avec un sourire, lui déclare d'un ton tranquille, comme s'ils étaient les héros d'un film :

— Merci, Annie, je ne l'avais pas vu, celui-là.

— Pas de quoi, répond-elle sur le même ton désinvolte, tout en ayant décodé derrière le sourire de Steve un profond soulagement de la savoir saine et sauve. Ça va, toi ?

Steve lui montre ses avant-bras ensanglantés en hochant la tête. Annie examine les siens et en retire un morceau de verre particulièrement gros. Ils éclatent de rire.

— Je pense qu'on va goûter à leur médecine chinoise.

— Tant qu'ils ne nous prescrivent pas d'analgésiques fabriqués dans cette usine, moi ça me va, conclut Annie en rigolant.

Épilogue

Les journaux chinois en parlèrent plutôt timidement, mais les réseaux internationaux reprirent la nouvelle et, en quelques heures, elle fit le tour de la planète. Des athlètes olympiques étaient morts en consommant du H5, un produit dopant déguisé en médicament vendu sans ordonnance, fabriqué en Chine. L'Agence mondiale antidopage ignorait encore le nombre exact d'athlètes intoxiqués. L'arrestation de la tête dirigeante de ce trafic, Jan Lech, un membre haut placé de la mafia polonaise, avait coûté la vie à trois de ses hommes de main.

Aujourd'hui, le gouvernement chinois présentait ses humbles excuses devant les journalistes et jurait avoir ignoré, jusqu'à tout récemment, que de tels crimes crapuleux étaient perpétrés sur son territoire. « L'ignorant affirme, le savant doute, le sage

réfléchit », dit Annie en citant Aristote. Elle ferme le poste de télévision devant lequel est assis Steve. Elle regarde son ami quelques secondes. Il est perdu dans ses pensées et semble nerveux, ce qu'Annie met sur le compte de la fatigue, du décalage horaire et du contrecoup de la vague de stress dont ils viennent d'émerger.

Lors de leur dernier débreffage, Annie et Steve s'étaient rendu compte de leur chance. La mission avait failli être un échec. Alors que le couple visitait l'usine, les équipes d'élite s'étaient évertuées à cerner le bâtiment de l'extérieur. Toutefois, après la gaffe de Maxim, les détecteurs thermiques avaient révélé la formation d'un mouvement de masse vers la partie arrière de l'usine, donnant sur l'aire des livraisons. Or, la route d'accès menant à cette partie du bâtiment était bloquée par un lourd camion-remorque qui était resté coincé à la suite d'une fausse manœuvre. L'équipe d'intervention avait donc été obligée d'abandonner ses véhicules et de courir vers l'arrière de l'usine, une promenade d'un peu plus d'un kilomètre et demi. À leur arrivée, ils avaient surpris des hommes en train de transférer

des boîtes de l'entrepôt vers un camion. Les policiers avaient à peine eu le temps de procéder à des arrestations et de vérifier le contenu des boîtes, qu'ils entendirent des coups de feu provenant d'une autre partie de l'édifice. Ils se rendirent aussitôt compte de leur erreur. Les trafiquants se trouvaient dans une autre aile du bâtiment et avaient eu amplement le temps de se débarrasser des preuves incriminantes contenues dans le laboratoire. Il ne restait que quelques hommes de main, que Steve et Annie tenaient en joue, dont celui qui avait agressé Annie avant de prendre les crocs de Daf-nez dans le bras. Heureusement, le camion-remorque qui avait ralenti l'arrivée des policiers avait également freiné la fuite des criminels qui couraient dans tous les sens. La majorité d'entre eux avaient été rattrapés et appréhendés. Le dirigeant, Jan Lech, avait été plus difficile à retrouver. On l'avait finalement intercepté alors qu'il tentait de prendre un vol pour la Suisse, avec la recette du H5 dans son ordinateur.

Quand Annie avait demandé à Steve pourquoi ils avaient été si longs à la rejoindre dans le laboratoire, il lui avait

montré les fragments du stylo de plastique qu'elle avait utilisé pour tenir la porte ouverte. Quelqu'un avait, par mégarde, tiré sur le stylo qui s'était émietté dans la porte, la coinçant solidement. Ils avaient dû utiliser un pied-de-biche pour entrer. Sans l'intervention de Daf-nez, Annie n'aurait peut-être pas connu la fin de l'histoire…

La jeune femme s'assoit sur l'accoudoir du fauteuil occupé par son conjoint.

— Rappelle-moi, Steve, c'est Biernat qui a commandé l'exécution de Katiana ?

— Peut-être, mais lui-même s'est fait descendre, alors j'opterais pour celui qui était au-dessus de Biernat, un certain Thomasz Mazurek, un industriel polonais. Il a été arrêté chez lui.

— Et avait-il un rapport avec Jan Lech, le producteur de comprimés ?

— Non, le coéquipier de Jeffrey, Maxim, servait d'intermédiaire entre Biernat et Jan Lech. C'est une chance qu'on ait pu arrêter ce Mazurek. Son numéro confidentiel était dans le carnet de notes du doc qu'on a retrouvé dans la voiture du tueur chargé de l'éliminer. Il n'en restait pas grand-chose

après l'explosion de la voiture, mais ce numéro avait été noté sur plusieurs pages… Je pense que Biernat devait se douter qu'il allait y passer et il ne voulait pas être le seul à payer…

— Tout ça pour une place sur le podium. Quelle histoire tordue! conclut Annie en soupirant. Bon, je voudrais bien visiter cette merveille du monde avant qu'elle ne tombe en ruine. Si tu allais chercher de quoi manger au restaurant pendant que je termine de me préparer. Je serai en bas, dans le hall d'entrée de l'hôtel d'ici une quinzaine de minutes.

— J'emmène Daf-nez?

— Non, je vais m'en occuper. Pense à apporter ce qu'il faut pour transporter le lunch. J'ai déjà hâte de pique-niquer.

Steve enfile son manteau et ramasse un sac à dos dans lequel il dépose une couverture. Avant de sortir, il embrasse Annie du bout des lèvres, s'arrête sur le pas de la porte, ouvre la bouche pour parler, puis se renfrogne. Annie ne l'a jamais vu aussi soucieux, hormis pendant des missions importantes. Elle hausse les épaules,

elle-même préoccupée par une pensée qui a fait son apparition à son réveil. Elle se laisse glisser dans le fauteuil vide pour faire passer un de ces étourdissements qui, depuis deux jours, se manifestent à répétition. Au début, elle avait mis ces malaises sur le compte de l'étranglement dont elle avait été victime, mais elle n'en est plus certaine à présent.

Daf-nez s'installe, assise bien droite devant la jeune femme. Avec un petit gémissement, la chienne avance une patte vers le ventre d'Annie. La policière prend la patte et caresse le labrador brun, l'esprit ailleurs. Lorsqu'elle se sent un peu mieux, Annie se dirige vers la salle de bain et fouille dans sa trousse de cosmétiques. Elle met la main sur sa boîte de pilules contraceptives. Le distributeur est vide. La jeune femme essaie de se rappeler à quand remonte la prise du dernier comprimé. Elle regarde le calendrier, estime la date de ses dernières menstruations et...

— Oh ! oh ! laisse-t-elle échapper, envahie par un sentiment qu'elle n'arrive pas à définir, entre la surprise, la joie et l'inquiétude.

Daf-nez rejoint sa maîtresse et s'assoit de nouveau devant elle. La chienne lève sa patte vers l'abdomen d'Annie et reste là, le regard fixe. La jeune femme blêmit. Dans un éclair de lucidité, elle comprend tout. Nathalie, le Tchèque et maintenant, elle. Trois fois, la chienne avait drôlement réagi, en prenant cet air à la fois concentré et ailleurs qui déroutait tout le monde, y compris Josiane. Mais Nathalie avait eu la bactérie mangeuse de chair dans le genou et l'athlète tchèque, le gars à la « tache de ketchup » de l'aéroport, était décédé d'un grave problème au foie. *Et aujourd'hui je suis peut-être enceinte*, pense Annie. Elle avait déjà entendu dire que certains chiens pouvaient déceler des cancers, des crises imminentes d'épilepsie ou des débalancements du taux de sucre chez des patients diabétiques, mais de là à croire que Daf-nez, qui détenait déjà un pif incroyable pour la détection de multiples odeurs et pour pister des disparus, pouvait également réagir à des changements physiologiques dans le corps humain… La jeune femme se penche vers Daf-nez et la serre très fort dans ses bras, à la fois excitée et émerveillée

devant le caractère unique du chien qu'on lui a confié. Le labrador se met à lui lécher le visage.

— Daf-nez, ma belle, tu es extraordinaire, le savais-tu ? Attends qu'on annonce ça à Steve…

Puis elle se rembrunit. Comment Steve prendra-t-il la nouvelle ? Est-il prêt à devenir père ? L'air préoccupé qu'il affiche depuis le début de la journée n'augure rien de bon. Peut-être veut-il la laisser, incapable de supporter plus longtemps de la voir prendre des risques disproportionnés pour son travail ? Peut-être lui en veut-il encore pour ce qui s'est passé avec Jeffrey ? Annie soupire. Et elle-même, est-elle prête à être mère ? Une main sur le ventre, à l'endroit où elle croit percevoir un léger renflement, la jeune femme termine de se préparer. Lorsqu'elle sort de l'hôtel, elle bifurque vers la pharmacie avant de rejoindre Steve.

Durant le trajet de deux heures en autobus, le couple n'échange que des banalités. Annie fulmine intérieurement. *Quand*

serais-je capable de le lui dire ? Si seulement je le sentais bien là, avec moi, et non emmuré dans son mutisme dont j'ignore la cause, songe-t-elle avant de s'endormir, la tête ballottant contre la vitre du bus.

À Bada-Ling, le véhicule les dépose au pied de la Grande Muraille[23]. La vue de ce long serpent de pierre qui ondule entre les montagnes, construit à la sueur de millions de fronts chinois, est à couper le souffle. Steve et Annie marchent en silence, alors que Daf-nez trotte à leurs côtés, trop heureuse de se délier les pattes. Après une demi-heure de randonnée et, surtout, après avoir semé la foule des visiteurs et leurs appareils photo, Steve entraîne Annie vers un escalier qui les mène sur le flanc d'une colline aux herbes brûlées par l'hiver. Il étale la couverture et invite la jeune femme à s'y asseoir. Il semble tellement sérieux qu'Annie ne peut s'empêcher de pouffer d'un rire nerveux. Steve se racle la gorge,

---

23. À Bada-Ling se trouve une section de la Grande Muraille qui a été rénovée à grands frais. Construite entre le IIIe siècle av. J.-C. et le XVIIe siècle pour se protéger des invasions des tribus du Nord, la Grande Muraille mesure quelque 6250 km, auxquels s'ajoutent 2500 km de barrières naturelles, montagnes et rivières.

la main dans la poche de sa veste. Il se met à genoux devant sa compagne, la regarde droit dans les yeux, avec l'air d'un chevreuil effaré qu'Annie trouve totalement mignon.

— Annie..., je sais que je te l'ai déjà proposé plusieurs fois... Tu m'as toujours dit que tu n'étais pas prête... Je suis peut-être idiot de te le suggérer de nouveau, mais je suis comme ça. Idiot et follement amoureux. Si tu refuses, je comprendrai et je ne recommencerai plus... et je te laisserai tranquille, mais...

Il toussote, lève au ciel ses iris d'un vert forêt qui ont toujours envoûté Annie, puis il termine sa phrase dans un souffle :

— Euh... Madame Annie Jobin, voulez-vous m'épouser ?

Voilà pourquoi il était si nerveux, comprend Annie en regardant avec émotion la bague sortie de la poche de la veste, un diamant serti dans une monture d'or blanc. Le bijou tremblote et brille entre les doigts de son conjoint. *Une nouvelle bague pour une nouvelle demande*, pense Annie, amusée. Même si elle sent un poids énorme s'échapper de ses épaules, elle sait qu'elle doit

d'abord révéler son état à Steve, pour qu'il mesure la pleine portée de sa demande.

— Steve, je dois te dire quelque chose avant…

Le doute et la désolation qui envahissent le visage de Steve font peine à voir. Elle continue néanmoins :

— Non… Ce n'est sans doute pas ce que tu penses. Tu dois savoir avant que je te donne ma réponse. Tu as ton mot à dire, toi aussi, étant donné que… tu vas être père.

L'information prend un long moment à se frayer un chemin jusqu'au cerveau du jeune homme. Annie prend la main de son amoureux et la dépose sur son ventre. Steve écarquille les yeux de surprise.

— Il est de moi ? laisse-t-il échapper maladroitement.

— Oh ! Steve… Bien sûr qu'il est de toi !

— Tu veux dire… que tu portes mon… notre bébé ? bredouille Steve.

— C'est un peu inattendu… Mais c'est confirmé. Je viens de passer le test à la pharmacie. Il est encore tout jeune, quelques semaines, mais tu dois comprendre qu'il fait déjà partie de moi… Veux-tu toujours m'épouser ?

— Toujours ? Mais c'est fantastique ! Je vais être père !

Steve met ses mains en porte-voix en direction de la Grande Muraille et crie :

— JE VAIS ÊTRE PÈRE ! *I'M GONNA BE A DAD!*

De la Muraille s'élèvent des applaudissements, des « Hourras ! » ainsi que des « Bonne chance ! » que l'écho fait résonner entre les montagnes. Annie éclate de rire et prend les mains de Steve entre les siennes. Avant de l'embrasser, elle lui murmure :

— J'accepte d'être votre épouse, monsieur Steve Garneau.

TABLE DES CHAPITRES

Diane Bergeron

Diane Bergeron est née à Val-d'Or, en 1964. Elle hésite un moment entre le piano classique et la recherche, puis s'oriente finalement vers les sciences. Après un doctorat en biochimie à l'Université Laval, elle fait de la recherche en biologie moléculaire pendant quelques années. En 2001, elle commence à écrire. Elle utilise désormais sa connaissance des sciences et son expérience de recherche pour documenter ses romans. *Tout pour un podium* est le quatrième volet de la série *Biocrimes* publiée aux Éditions Pierre Tisseyre. L'auteure habite aujourd'hui Québec.

COLLECTION CHACAL

1. *Doubles jeux*
   Pierre Boileau (1997)
2. *L'œuf des dieux*
   Christian Martin (1997)
3. *L'ombre du sorcier*
   Frédérick Durand (1997)
4. *La fugue d'Antoine*
   Danielle Rochette (1997)
   (finaliste au Prix du Gouverneur général 1998)
5. *Le voyage insolite*
   Frédérick Durand (1998)
6. *Les ailes de lumière*
   Jean-François Somain (1998)
7. *Le jardin des ténèbres*
   Margaret Buffie, traduit de l'anglais par Martine Gagnon (1998)
8. *La maudite*
   Daniel Mativat (1999)
9. *Demain, les étoiles*
   Jean-Louis Trudel (2000)
10. *L'Arbre-Roi*
    Gaëtan Picard (2000)
11. *Non-retour*
    Laurent Chabin (2000)
12. *Futurs sur mesure*
    collectif de l'AEQJ (2000)
13. *Quand la bête s'éveille*
    Daniel Mativat (2001)
14. *Les messagers d'Okeanos*
    Gilles Devindilis (2001)
15. *Baha-Mar et les miroirs magiques*
    Gaëtan Picard (2001)
16. *Un don mortel*
    André Lebugle (2001)
17. Storine, l'orpheline des étoiles, volume 1 : *Le lion blanc*
    Fredrick D'Anterny (2002)
18. *L'odeur du diable*
    Isabel Brochu (2002)
19. *Sur la piste des Mayas*
    Gilles Devindilis (2002)
20. *Le chien du docteur Chenevert*
    Diane Bergeron (2003)

21. *Le Temple de la Nuit*
Gaëtan Picard (2003)

22. *Le château des morts*
André Lebugle (2003)

23. Storine, l'orpheline des étoiles, volume 2 : *Les marécages de l'âme*
Fredrick D'Anterny (2003)

24. *Les démons de Rapa Nui*
Gilles Devindilis (2003)

25. Storine, l'orpheline des étoiles, volume 3 : *Le maître des frayeurs*
Fredrick D'Anterny (2004)

26. *Clone à risque*
Diane Bergeron (2004)

27. *Mission en Ouzbékistan*
Gilles Devindilis (2004)

28. *Le secret sous ma peau* de Janet McNaughton, traduit de l'anglais par Jocelyne Doray (2004)

29. Storine, l'orpheline des étoiles, volume 4 : *Les naufragés d'Illophène*
Fredrick D'Anterny (2004)

30. *La Tour Sans Ombre*
Gaëtan Picard (2005)

31. *Le sanctuaire des Immondes*
Gilles Devindilis (2005)

32. *L'éclair jaune*
Louis Laforce (2005)

33. Storine, l'orpheline des étoiles, Volume 5 : *La planète du savoir*
Fredrick D'Anterny (2005)

34. Storine, l'orpheline des étoiles, Volume 6 : *Le triangle d'Ébraïs*
Fredrick D'Anterny (2005)

35. *Les tueuses de Chiran,* Tome 1, S.D. Tower, traduction de Laurent Chabin (2005)

36. *Anthrax Connexion*
Diane Bergeron (2006)

37. *Les tueuses de Chiran,* Tome 2, S.D. Tower, traduction de Laurent Chabin (2006)

38. Storine, l'orpheline des étoiles, Volume 7 : *Le secret des prophètes*
Fredrick D'Anterny (2006)

39. Storine, l'orpheline des étoiles, Volume 8 : *Le procès des dieux*
Fredrick D'Anterny (2006)

40. *La main du diable*
Daniel Mativat (2006)

41. *Rendez-vous à Blackforge*
Gilles Devindilis (2007)

42. Storine, l'orpheline des étoiles, Volume 9 : *Le fléau de Vinor* Fredrick D'Anterny (2007)
43. *Le trésor des Templiers* Louis Laforce (2006)
44. *Le retour de l'épervier noir* Lucien Couture (2007)
45. *Le piège* Gaëtan Picard (2007)
46. *Séléna et la rencontre des deux mondes* Denis Doucet (2008)
47. *Les Zuniques* Louis Laforce (2008)
48. *Séti, le livre des dieux* Daniel Mativat (2007)
49. *Séti, le rêve d'Alexandre* Daniel Mativat (2008)
50. *Séti, la malédiction du gladiateur* Daniel Mativat (2008)
51. *Séti, l'anneau des géants* Daniel Mativat (2008)
52. *Séti, le temps des loups* Daniel Mativat (2009)
53. *Séti, la guerre des dames* Daniel Mativat (2010)
54. *Les Marlots – La découverte* Sam Milot (2010)
55. *Le crâne de la face cachée* Gaëtan Picard (2010)
56. *L'ouvreuse de portes La malédiction des Ferdinand* Roger Marcotte (2010)
57. *Tout pour un podium* Diane Bergeron (2011)

Ce livre a été imprimé
sur du papier enviro 100 % recyclé.

Empreinte écologique réduite de :
Arbres : 10
Déchets solides : 409 kg
Eau : 32 420 L
Émissions atmosphériques : 1 063 kg

Ensemble, tournons la page sur le gaspillage.